竹本忠雄

未知よりの薔薇

第五巻 交野路

勉誠社

未知よりの薔薇　第五巻 交野路

目　次

カバーデザイン――橋場信夫
カバー写真――ダニエル・セール
表紙デザイン――大岡亜紀
画像データ管理――山﨑誠一

第一章　遍照ベルナール・フランク金剛

マルローを那智の滝に「送った」人

野良塚に葬った猫たちの、ひょっとすると恩返しであろうか。

明くる年――一九八八年――の春、一通の招待状がパリから舞いこんだ。日仏間でつとに賢人の誉れ高いベルナール・フランク氏からで、氏が日本文明研究所の首座をつとめるフランスの最高学府、コレージュ・ド・フランスに、《アンドレ・マルローと那智の滝》の演題で講義に来てくれというものだった。書状を手に、長い流竄《るざん》の夜が明けたような思いを味わった。

指折り数えれば、あの大瀑布のもとにマルローとともに立ってから十四年が過ぎていた。滝を前にマルローは「アマテラス……」と絶句し、ついで伊勢に赴いて内宮の千木を凝視し、「すべての雲は同じ空へと溶け入る」との実相観入を得た。そしてこれを畢生作『非時間の世界』に記述して世を去った。この熊野・伊勢路の旅を献策したのが、当時、東京の日仏会館館長の職にあったフランク氏だったのである。

ベルナール・フランクといえば、自身では半ば茶化して「一介のジャポニザン」（日本研究者）と云うのが常だったが、実際は大学者であるうえに、謙虚な、親しみやすい人柄で、広く日仏間で敬愛された人格者であった。戦後まもなく来日したときに「お化けの研究家」などと興味半分に新聞に書き立てられたことを私は覚えていた。アインシュタイン同様、「ラフカディオ・ハーンの日本が見たい」との願望から来日したことは確かで、『方忌み・方違え——平安時代の方角禁忌研究』をはじめ、豪華本の『今昔物語』の翻訳などで名を挙げ、秘教的《エゾテリック》角度からの日本中世仏教の研究家として権威ある地位を築いていった。

しかし、私にとっては、ベルナール・フランクといえば、何よりも、マルローを熊野・伊勢路の旅に「送った」大殊勲者であった。あのとき、氏が日仏会館館長として日本にいなかったなら、この計画はありえないことだった。その結果、いかに豊饒な結実がもたらされたかを考えると、天佑とはこのことかと思わずにいられない。

計画遂行には、ほかに二人の傑出した人物がかかわっていたことを書き洩らすわけにいかない。元駐仏「大」大使、萩原徹と、朝日新聞社企画顧問、衣奈多喜男《えなたきお》の両氏である。衣奈氏は、文化相マルローの信頼を得て、「ミロのヴィーナス」と「モナ・リザ」を日本に送ってもらったほどの大人物である。これほどの人が、マルロー最後の来日にさいして、わざわざ日仏会館に足をはこんでフランク館長を訪ね、丁重に相談したことから、紀伊の旅が発案されたのであった。

「どこへマルローを送るべきか？」その夜、私は興奮して妻と額を寄せ合って検討した結果、そうだ、熊野だと思いついた」。『NRF』誌のマルロー追悼特集号でのフランク氏の回顧は貴重である。

戦後外務省の元老、萩原大使については、先に「第三巻　流浪篇」で、わが人生の軌道をも曲げた人として詳しく記したとおりである。ベルナール・フランク、衣奈多喜男に加えて、マルローが盟友《アミ》と呼ぶ萩原徹のトリオが、揃いも揃って時に日本に現存したればこそ構想された秘中策が、熊野・伊勢路の旅なのであった。しかし、この計画が知れるや、招待主である朝日新聞社側では「狂気の沙汰」として社内報にまで書き立てる反撥を示した。衣奈多喜男は怒り心頭に発して、マルロー同行の旅から帰るや、同じ社内報に筆を取り、こう憤懣をぶつけたほどである。「天下のマルローに随行する自分にあたえられた社命は、せいぜい旅の行く先々で他社のカメラマンをステッキで追い払えということにすぎなかった」


一個の偉人が正覚を得るにあたって闇の眷属《けんぞく》がそれを妨げること、釈迦伝にもキリスト伝にも明かなとおりである。云い替えれば、それだけ、そこから人類にもたらされる裨益は大なりと云わねばならぬ。

大事が成るためには、「天の時・地の利・人の和」の三拍子が揃わなければならないといわれる。それはまことに真理で、私自身、幾多の辛酸でそのことを学んできた。マルロー熊野行計画を立てるために、まず、前述のごとく「人の和」は確保された。「地の利」も、フランク氏の夫人淳子さんが紀州の出であることなど、順風が吹いた。「天の時」、これがまた素晴らしいものだった。これについてここで一言しておくのが格好であろう。

本来ならば、マルロー最後——生涯で四度目——の訪日は、もっと早く行われるはずであった。正確には、それより九年前、一九六五年に。

その年の五月、マルローは、現職の大臣の身でありながら、客船カンボジア号に乗って極東航路の長旅に出たからである。のちに自ら述懐したごとく、「目ざすは、私がミロのヴィーナスを送った日本……」(『反回想録』)であった。

そのときこれが実現していれば、熊野・伊勢路の旅はありえなかった。時に、ベルナール・フランクは日本にいなかったからである。萩原大使も、私もパリにいた。まったくの突発事件が、しかし、そのときの訪日を阻んだ——幸いなことに。

そもそも現職の実力大臣の長期ヴァカンスということで、出航のときからして、マスコミは大騒ぎだった。パリ在住の私も調査に乗り出して、長文のリポートを『藝術新潮』あてに書き送ったりした。だが、真相は摑みきれずにいた。それが明らかになったのはマルローの歿後である。マルローが大臣でいる間、ずっと文化省の総局長（日本では次官）をつとめたベルナール・アントニオス氏を居宅に訪ねて、仔細を聞かされた。紹介者はオリヴィエ君で、同行してくれた。

アントニオス氏は夫人のジュヌヴィエーヴとともに迎えてくれた。ジュヌヴィエーヴ・ド・ゴールは、ド・ゴール将軍の姪御さんとだけ聞かされていたが、眼鏡をかけた固い感じの女性という記憶しかない。しかし、実際はレジスタンスの戦士で、ゲシュタポに拉致されて強制収容所生活を送り、戦後はフランスの極貧階層の人々のために奉仕したヒロインであると知ったのは、後の話である。いまでは、パンテオンに祀られているという。アントニオス氏は、小背ながら、そのような烈婦を妻とする重厚な人物で、言葉すくなに往時の極秘事項を物語ってくれた。わけても、次の一言がすべてを語ると思われた。

「ド・ゴールは彼を疲れさせた」（De Gaulle le *fatigait*）と云ったのである。

救国の英雄ド・ゴールと轡《くつわ》を並べての政権十年は、たしかに、いかに英雄マルローといえども容易ならぬことだったであろう。マルローの職責は、世に伝えられたような単なる「文化大臣」ではなかった。正確には「文化担当国務大臣」であり、それも三人いる国務大臣中の筆頭格だった。閣僚会議においてつねに大統領の右側に坐し、名実ともに右腕として国の柱石たるの立場にあった。しかし、「疲れ」は、公務によるものばかりではなかったと思われる。いわば、人生的なものだった。ちょうど政権前半の五年が過ぎたころ、異変が起きた。つとにマルローは、対独戦のさなかに愛する美貌の伴侶、ジョゼットを轢死で失い、そのあと、大臣になってから、彼女との間に生まれた長男と次男を同時に自動車事故で失うという悲運に遭っていた。「心機一転のため、医師の進言を容れて長旅に出た」という回想録中の一言には万感が篭もっている。そこには言外の言が感じられたが、誰にもその真相は窺いえないことであった。しかし、日本人として私は、何かそこにほかに理由があるように漠然と感じてもいた。

日本との因縁がはたらいているのではなかろうか、と。「ブシドー」の日本を、マルローは、内面からの甦りのために必要としていたということはなかったであろうか。

ともあれ、かねて熱心な招待を申し出ていた日本を最終目的地として彼は船客となった。そして寄港地に添って、湧きいずるままに回想の筆を取り、波瀾万丈の人生を回顧した。二年後、それは、『反回想録』として出版されるであろう。だが、カンボジア号は横浜には着かなかったのである。思わぬ「カタストロフィ」が起こったのだ。「今の世に座礁などということはもうないものと思っていた」と同書に回顧するような海難事故が。
客船は、シンガポール沖合でノルウェーのタンカー船と衝突したのだった。未明、ずしんという衝撃音で、船客は一斉に飛び起きた。道中、マルローの唯一の随行者であった忠実な副官、アルフレッド・ブーレは、ただちに大臣の船室に駆けつけた。が、そこはすでに蛻《もぬけ》の殻だった……

私は、アルフレッド・ブーレ氏をも見知っていた。

戦後、初のマルローの訪日時に随行していた。小柄な、色白の、にこりともしない人だった。マルローが文化大臣となってから私は彼と再会したが、そのときにも大臣官房室長として脇に張りついていた。主君亡きあとにまで遺言執行人となったのだから、よほどの信任に違いない。

それもそのはず、ブーレは、マルローの戦友だった。第二次大戦勃発とともに「電撃作戦」でヒトラーのライヒ戦車団は一挙に国境をこえ、フランドルの平原に進撃してきた。迎え撃つ仏軍戦車隊にマルローは一兵卒として志願して加わったが、そのとき、同じ車輌の隊員としてブーレと知り合ったという。仏軍の戦車は四人一組の編成だったが、「初めて練習のさいに四人が同じ戦車に乗り、出てきたときには他の三人はもうマルローに心服していた」と私に語ってくれたのは、夭折した文壇の重鎮、ドミニック・ド・ルーである。さもありなんと思う。そのとき、敵の戦車壕に落ちた恐怖の体験を、マルローは『アルテンブルクの胡桃の木』の中で書き綴っている。死線をこえて培われた友情ともなれば別格であろう。かくて、カンボジア号の船旅でも、ブーレは、形影相添う唯一の随行者となっていたのだった。

これほどの忠実な配下が、衝突音に驚いて駆けつけたときには、しかし、もうマルローは船室にいなかったのである。ここらあたりが、偉人の常人と異なるところであろうか。しかし、また、そこに、余人のあずかり知らざる秘密もあったらしい。ともあれ、船は傾き、早くも浸水が始まった。血相変えてブーレが甲板に駆けあがると、そこはもう避難客でいっぱいだった。ブリッジを見上げると、なんとそこにマルローは船長と並んで立っているではないか。

追いついた副官に、ひとこと、声が洩れた――

「オン・クール（沈むぞ）」と。

見れば、いつ着替えたのか、マルローは、第一級の礼装で、泰然と暁暗の海を見渡していたのだった。

それからあとは、『反回想録』に語られるとおりである。もっとも、表向きの出来事については、であるが。

在シンガポールのフランス大使を介してド・ゴール大統領からの親電が届く。それは、急遽、北京に赴いて毛沢東と会えというものだった。（同書では会見の模様はいちじるしくフィクション化して語られている）

それはともあれ、この突然の運命の急旋回によって日本行きはキャンセルされてしまった。北京からマルローはUターンしてパリに帰ってしまったからだ。「ド・ゴールの名代、毛沢東と会見す」のニュースは世界を駈けめぐり、萩原大使は本省からの訓令を受けて中国情勢を聞きにヴェリエールのマルロー邸へと駆けつけた……

ここまでは、しかし、世に知られるとおりのストーリーである。どんな歴史的事件にも内幕があるように、ここにも秘話があった。私はそのことを前記アントニオス氏からさらに詳しく知らされ、感動を禁じえなかった。

文化省総局長としてアントニオスは事件をストレートに知る要衝にあった。シンガポールの副官ブーレから彼は伝えられた――大臣は死にたがっている、と。いかに生還させるべきか。偉人を逆境から救うには、より大きな運命を課する以外にない。この場合、ド・ゴールの名代で、「長征」のヒーローと会見せしめる以上の鼓舞があっただろうか。

世界に先駆けて人民中国を承認したド・ゴール将軍に対して、毛沢東は恩義を忘れなかった。三度、招待を発して、固辞されていた。その代行として到来した『人間の条件』の著者を、まさに三顧の礼をもって歓迎した。

「あなたは、ご自身を中国皇帝と思っていらっしゃるのですか」

とのマルローの問いに、

「皇帝以外の何でしょうか」

と毛は応じたという。

そして「驚いたことに」天安門の外まで出て見送った。

マルローは、諸文明と対話した男、といわれる。赤い中国の頂点に君臨する「征服者《コンケラン》」との邂逅は、五年余にわたる大臣執務室の憂鬱を吹き飛ばし、充電してパリに送り返すに十分だった。

マルローは蘇生し、訪日は吹き飛んだ。

「剣の童子」、パリに顕現

並んで坐って、いっしょに読んでいった。

凱旋門からデファンス広場に向かって真っ直ぐ伸びるド・ゴール通りの、ヌイイ街近く、ベルナール・フランク邸の書斎である。

机上には、『アンドレ・マルローと那智の滝』の草稿。コレージュ・ド・フランスでの五回連続講義に合わせて全体を五章に分け、筑波で一気呵成に書き下ろした拙文である。フランク教授は私と一緒に小一日かけてこれに丹念に一ページずつ目をとおして、「こんなに書けたらいいですね」と日本語で云ってくれた。たった一言——だが、この人の口から云われれば、もって瞑すべしであった。しかもそこには格別に喜んでもらえる影の理由があった。しかしそれは、舞台の幕が開くまではこちらには察しのつかないことだった。

共同作業を進めながら私は、机の真ん前の書棚に置かれた小さな厨子に引きつけられていた。そこに、掌ほどの立像が収められている。と、こう云われた。

「勢至観音菩薩さまです。私の守り本尊です」

「あゝ、先生の大発見ゆかりの……」

法隆寺を訪ねる人々は、何も知らずに、国宝、金堂の西の間の阿弥陀三尊を鑑賞していく。しかし、三尊のうちの勢至観音菩薩像は、長いあいだ行方不明となっていた——代わりの仏像が配されていた——のが、フランク氏の発見のおかげでパリで発見され、元へ戻されたものであると知る人は稀だ。エミール・ギメ氏のコレクション中にそれは「出所不明の中国製ブロンズ」として片付けられてしまっていた。フランク氏の学殖は、この一事をもってしても窺い知られよう。ほかにも氏は、ギメー美術館の地下に眠る数百体の日本密教の諸尊を研究し、そのすべてに註解をほどこすという偉業をなしとげていた。マルロー文化相はギメーに足をはこんでその成果を見て激賞している。後年、《日本密教諸尊立体マンダラ展》として東京の西武美術館でも紹介されたから、覚えている人もあろう。

これほどの「大徳《だいとこ》」であるからして、日本の仏教界が恩義を感じたのは当然のことだった。のちに、その逝去にさいし、真言宗本山の東寺は、開祖弘法大師の名をとって「遍昭ベルナール・フランク金剛」と諡《おくりな》し、東大寺、東本願寺など五大寺が相寄って前例なき大法要をいとなむこととなる。

しかし、それは、まだ後——八年後——の話である。私が講義の原稿をひっさげてヌイイのお宅に伺ったときは、フランクさんは六十四歳で壮健だった。

1

2

1.　長らく行方不明となっていた法隆寺の国宝、阿弥陀三尊菩薩の中の勢至観音菩薩像。
2.　これをギメー・コレクション中に発見して復元せしめた日本中世仏教研究の権威、ベルナール・フランク教授。
その功績をたたえて南北都五大寺は、教授歿後、盛大な合同葬儀をいとなみ、「遍昭ベルナール・フランク金剛」との諡(おくりな)を贈った(14頁)。

堂々たる体軀の、謙虚で、ユーモラスな人柄である。少しも偉ぶったところ、学者臭がない。本質は詩人、との気配濃厚である。そういえば、あとで知ったのだが、令兄のジャン＝ミシェル・フランク氏も、フランシス・ジャム風の素朴な詩集をガリマール社から出した詩人なのであった。

査読が終わって、サロンでくつろいだ。ブルーの大柄のデザインのソファに向き合って坐る。

フランク邸には私はそれまでにも一、二度伺ったことがあり、雰囲気には馴染んでいる。壁には、仏蘭久淳子——奥さん——の画が並んで架かっている。彼女の個展を私は東京の銀座で見て、一点を購入していた。蓮華の花が空中に浮かんだ絵で、ちょうど《科学・技術と精神世界》会議の準備中だったので、これをロゴ・マークに使用させてもらった。水中の石が次第に空中に浮かぶような作風の変化をずっとフォローしてきている。

「さきほど、勢至観音菩薩が守護神だとおっしゃいましたが……」

と私は好奇心を抑えきれずに水を向けた。

「こんなことがありました」

得たりとフランク氏は応ずる。大きな眼鏡をきらきらさせ、ゆったりと足を組みなおして語りはじめた。

「あるとき、私は、ソルボンヌに講演に出かけたのですが、駐車場が満杯でした。建物をぐるぐる回りましたが、ぜんぜん空き地が見つからない。講演開始時間は迫り、気持は焦るばかりでした。と、ようやく小さな場所が見つかりました。ぎりぎり私の車が収まるかどうかというスペースしかありません。車体を斜めに入れようとしましたが、にっちもさっちもいきません……」

両手を広げ、車を斜めにかかえるような身振りをした。

「もう駄目だ。私は、車から出て、天を仰いで、勢至観音菩薩さまぁ、お助けくださいと、声に出して叫んだのです。そして前を見ると、どうでしょう、こつねんと、車の前に一人の少年が立っていたのです。その向こうは建物の壁で、何もない狭いところに、ですよ。少年は無言で車の向こう端をつかみ、私にもそうするようにと合図しました。まさか、こんな重い物が二人の力で持ちあがるはずもありません。しかし、ほかに何ができましょう。ところが、二人で車の両端を持つと、楽々とそれは持ちあがり、他の両側の車の間の狭い空間にぴたりと収まったのです。驚いて顔を上げ、不思議な少年に礼を云おうとすると、もうその姿は見えませんでした。ともかく、私は、いっさんにソルボンヌに駆け入り、おかげで講演に間に合ったのです……」

ふかぶかとした声で語りおわると、いまなお信じられないといったようにフランク氏はちょっと瞑目した。

「いったい、誰だったんでしょうね、その少年は」

返事は間髪を容れず返ってきた。

「剣の童子、だったと思います」

「あゝ、あの信貴山縁起絵巻に出てくる……」

「そうです」

私は感動した。事の超越性にではない。（そうしたことがあるということは、もう体験的に十分に分かっている）。超越性を信ずるフランク氏の心に、である。

十世紀、醍醐天皇が重病に臥せったとき、信貴山のある聖《ひじり》が祈りをもって剣の護法童子を帝の夢枕に送り、それによって病が癒えたという縁起譚がある。この不思議な童子が、八輻輪に乗って紫宸殿の上空から風を巻いて庭前に下るや、ぴたっと足を止めて立つ姿を連続描写した有名な『信貴山絵巻』があり、これは、奈良、生駒の信貴山真言宗総本山に秘蔵されて国宝となっている。マルローが「中世のシネマ」と讃えたこれら平安・鎌倉時代の絵巻は、夢の図像学としても貴重で、私もそうした複製画集を飽かず眺めることを楽しみとしてきた。いまどきの若い人なら、アニメの元祖というかもしれない。ただ、奇怪なのは、その童子の格好なのだ。右手に抜き身の剣を立て、ほかにも首から全身にかけて、まるで羽毛のようにびっしり剣がぶらさがっている。それにしても、遠くフランスの、それもヴェルサイユ宮殿あたりならいざしらず、とんでもないパリの駐車場に顕れようとは……

いかなる宗教的天才といえども、霊性の深みに一挙に入りうるわけではない。大海の深淵が渚から始まり、高山の峻峰が裾野から始まるように、異界は足下の第一歩から始まる。ベルナール・フランク現象において、私にとって興味のあるのは、どのような道筋をとおって、若き日の「お化け研究家」が、のちに「遍昭金剛」の名を冠するほどの、自身、大徳となりえたか——であった。

そして、そのプロセスにおいて、日本がどのようにかかわったか、である。インドでも、中国でもなく——。

次回はそのことを聞こうと心に期して、その日はいったん辞去した。

「お化け研究家」から世界的仏教学者へ

黄葉のパリは、シャンソンにも歌われる「五月のパリ」と対をなして美しい。来るたびに、変わっていくのは自分自身と感じさせられる。パリ一匹狼から、罠に落ちて傷つき、放浪生活から筑波越えをして、やっと古巣のセーヌの岸辺に戻ってきた。戻るといっても、もはやパリジャンではない。ただ、かつては自分もそこに身をなして共に流れた、この街にしかないさらさらという透明の水音を、ふたたびかすかに聞くまでである。オーケストラ指揮者が虚空から旋律を引き出すように、見えない空間にただ さらさらと流れるその調べを聞くことで、わがいのちもまた翼を得たようだ。沙漠の水《み》無川《なしがわ》さながら、絶えて久しいこの水音が、もう間に合わないとのかなしみと、砂時計の砂のまだ落ちつづける眩《まぶ》しみの間に、かすかに、透明に鳴っている。

子供たちの歓声が、幻聴のせせらぎに入れ替わった。

メリーゴーラウンドがぐるぐる回り、明るい色彩を振りまいている。風に落ち葉がまろび駆けてゆく。コンコルド広場のかなたにエッフェル塔が見える。ヌイイのお宅に、きょうは午後から来るようにいわれていた。凱旋門からメトロに乗るつもりで、シャンゼリゼーに向かって歩きはじめた。過去を遡るように、ゆっくりと——。

一時間後、ふたたび私はブルーのソファに、ベルナール・フランクと向き合っていた。日本語の大家に対して失礼と思いつつも、その場の力か、会話は自然とフランス語で始まった。

「どのようにあなたはジャポニザンとなられたのですか」

「終戦の年——一九四五年——の直前に、パリの中学で、ある哲学教師から聞いた一言が初めでした。日本という、きわめて特殊な文明がある。その国民はたいそう礼儀正しく、感受性に富んでいる、と……」

「文明、と云ったんですね、その先生は。そしていま、フランクさん、あなたは、コレージュ・ド・フランスの日本文明研究所の首座でいらっしゃる……」

「はい、私が創設いたしました。で、その哲学教師は、ヴィアル先生という名でしたが、このように日本文明と云ったあとで、すぐに、ラフカディオ・ハーンを読むようにと薦めてくれたのです。こう聞いて私はアンデルセン童話を思い出しましたよ。『中国皇帝の鶯』という題ですがね、中国の皇帝が日本の天皇から機械仕掛の鶯を贈られたという逸話です。早くも、日本は、ハイテク国だったんですね！」

笑い。

「ともあれ、中国は遠い、が、日本はもっと遠い、隠れて見えないところにある、こう思いましたよ」

笑顔のまま、話は続く。

「でも、変だとは思いませんか。だって、ヨーロッパでも戦争はまだ終わっていなかったころなんですからね。日本ではカミカゼが天皇万歳を叫んで米軍の空母に体当りしているというのに、私は幻の天皇を考えていたのです……」

「変だとは思いませんよ。だって、そこにすでにフランクさんを感じますから」

「私の関心は最初から日本的空想世界《イマジネール》にあったのです。軍国主義日本がアジアを荒廃させたと非難されていたさなかにあって、私は、別の広大な日本がその蔭に隠されていると信じていました」

「広大な《イマンス》」という音を「イマーンス」と、引っぱって発音しながら、話者はふたたび両手を広げた。こちらもそれに反応して声を高めた。

「日仏が敵国関係に置かれていた時代に、そんなふうに考えていらっしゃったとは！」

「時代逆行もいいところでした。現実には、夢は一つずつ裏切られていったのですからね。ヴィアル先生から話を聞いた三週間後には、十冊あまりの関連書籍を買いこんで耽読し、新学期からは日本語を勉強しようと決心していたところ、五月に、日本、和平を模索中とのニュースが伝わってきました。そして恐るべき結末が待っていたのです……」

あゝ、と、小さな溜息をつき、フランク氏はしばし瞑目した。古傷でも痛むように、かすかに頬を引きつらせた。

「広島についで長崎が潰滅させられたと聞いたときは、たまたま、ピエール・ロティの『お菊さん』を読んでいる最中でした。いまでも覚えています。彼が憧れの日本を初めて船上から遠望したときの初印象のくだりを」

空中からその本を引き出すかのように右手をひらつかせると、ただちに暗誦する。


夜のしらじら明けに、われわれは日本を遠望した。ぴたり予定時刻に、それは姿を現した。まだずっと遠くに。何日も何日もの間、ただの空々漠々たる広がりでしかなかった、この海の、正確な一点に。


「この一節は、私にとって、電撃でした」

私は嬉しかった。自分も中学生のときにロティを初めて読んで熱中したことを思い出した。タヒチの娘との引き裂かれた恋の物語で、神田の歩道で買った岩波文庫の一つ星、『ロティの結婚』に収まっていた。そこでそのようにいうと、フランク氏の表情に喜色がみなぎった。

「おゝ、ムッシュー竹本もそうでしたか」

「エピグラフに掲げられた言葉は、ずっとそれを思い出してきたほど、強烈でした。こんなふうです——


棕櫚は栄える。

珊瑚は増える。

けれども人は死に絶える。

——古いポリネシア民謡

いまでもこうして引用すると胸がきゅんとなります。アトランティスのような、太平洋上の知られざる古代文明の消滅と、引き裂かれた乙女の恋ごころとが重なってきますから。フランクさんが、やはり中学生で、古い日本に憧憬を抱いたとき、その古い日本は原爆で沈みつつあったときなんですね」

「隠れた日本に私は恋い焦がれていました。その日本が沈んでいくのを見て、どうして絶望に駆られずにいられましょう。二度と、それはもう見ることができないと諦めていました。ところが終戦となって、夢が復活したのです。複雑な幸福感を抱いて、なおのこと読書に精出しました。特に、エドモン・ド・ゴンクールの『歌麿』、『北斎』に――」

「私も読みました。ゴンクールの熱意には感動させられましたね。北斎が五十歳で、予《よ》、ますます学ぶと書いているのを見て、ゴンクールはそれを座右銘としていますね」

「そんなときに、またとない導き手が私の前に現れたのです。福田陸太郎さんです」

思いがけない名前が出てきたので私は驚いた。福田陸太郎先生は、私が東京教育大学の学生だったときの比較文学の教授で、現代詩人としても著名である。そういえば、初めてフランク氏の名を聞いたのも、福田先生の口からだった。

「懐かしそうにフランクさんのことを語っておられました」

というと、

「それは、キエンですね」

と、奇縁という言葉だけを日本語で云って、喜ばしげにこう返事が返る。

「福田陸太郎と私がパリで知り合いになったのは、戦後四，五年のころですから……」

「……私が師事するより十年近くまえですね」

「寛大で、悠然たる風格の方で……。われわれは親友となりました」

こう書いてきて、こちらも奇縁なりとの感を深くする。

ずっとのちに皇后陛下美智子さまの御撰歌集を仏訳させていただいたとき、私は福田陸太郎先生に監修をお願いしたからだ。『セオトせせらぎの歌』(*Sé-oto Le chant du gué*)は、お陰をもって皇后さまのお名を汚さないだけの翻訳に仕立てあげることができた。福田先生は、すでに、今上天皇皇后両陛下が皇太子・同妃両殿下時代に出版された合同歌集『ともしび』の英訳を監修しておられた。パリからの依頼にこたえて先生は、拙訳に対して二度も緻密な助言を送ってくださった。しかし、四年後、二〇〇六年五月に同書がパリで刊行されたのは、惜しくも先生が亡くなった三ヶ月後のことだった。(フランク氏はその十ヶ月後に逝去した)

マルロー紀伊の旅でフランク氏と私がむすばれるよりずっと以前から「リクタロー・フクダ」は二人の間に介在していたことになる。これまた、偶然ではなさそうだ。われわれ二人が「契《かな》う」理由は十分あったのであろう。

「日本は別の異界です」

あのときのベルナール・フランク邸の会話に戻る。私は尋ねた。

「で、日本行きはどうなりましたか」

「一九五四年春でした。中学で電撃を受けてから九年目、ということは戦後九年目に、初めて日本への船旅に就くことができました……」

若きベルナール・フランクの船中でのエピソードを私は耳にしたことがあった。西村計雄画伯がパリのアトリエで語ってくれた。それによると、青年は最初の渡航船上で恋に落ちた。相手は日本女性だった――もちろん！ 若者は結婚するといってきかないので、見かねた画家の知人はこう忠告してなだめたという。「まあまあ、もうちょっと辛抱なさい。日本に着いたら、このくらいの女性ならいくらでもいますから」

本当にいくらでもいるかどうか……

夢みる男が初めて恋する相手は女性ではない、女神だからである。

私自身についていえば、ミラノのブレラ美術館でそのことを悟った。松見守道と美術行脚をしているときだった。あるルネサンス期の有名な女性肖像画の前で釘付けになった。高校生時代の初恋の少女に瓜二つだったからである。驚いて画題を見ると、なお驚きだった。なんと、聖母像だったのだ！ とすると――と、以後、深刻な哲学的問題を課されることとなった。俺はいったい、誰に恋したというのだろう……

気楽にこんなことは話題に出せばいいものを、つい遠慮してしまった。お互いに人生を一回りして、女神から女性、女性からまた女神へと戻りつつある――おそらく――点では、共通かもしれないのに。

そこで、素知らぬ顔で聞いた。

「で、日本の初印象はいかがでした」

「船が横浜に着いたとき、霧が岸辺に垂れこめていたのが幸いでした。最後の最後まで、崇高な日本を隠して見せまいというふうに……」

これほどの思い！　ほとんど信仰のごとき。

戦争で日本が日本を失ったときに、その永続を信ずる西方の人が到来したのだった。

「車が東京へ向かう間中、絶えずラフカディオ・ハーンのことを考えていました。日本巡礼の第一歩は、雑司ヶ谷にあるハーンの墓参りから始めました」

人によっては、この種の「日本熱」をセンチメンタルとも受けとりかねないであろう。少なくとも単なるエキゾチスムと思うかもしれない。ピエール・ロティの日本発見が、戦後、すでにさんざん嘲笑の対象となってきた。しかし私自身はこの種の郷愁を笑うことはできない。というわけは、二〇一六年七月現在、もう二十八年前の出来事となったあのときのフランク邸での会話を思い出しながら、何よりも思うことは、そのような異邦の稀人《まれびと》によって摑みとられた日本の本質とは何であったか、と考えるからである。

ラフカディオ・ハーンに対する評価は、第二次大戦直後、逆風に近かった。それゆえ、ベルナール・フランクのごときアプローチは時代錯誤とみられても致し方のないものだった。敗戦国日本に進駐した米側ジャーナリストたちの目に、『神国日本』の著者が描いた日本など、たしかにどこにもありはしなかったからである。一九六〇年前後、私は、外務省の文化公報誌に《日本へ注ぐ眼》と題する小論を連載していたので、当時の米側日本観にはかなり通じていた。それは要約すればこんな具合だった。

「ハーンは日本人の微笑が特殊だと書いたが、そんなものがどこにある。現地で見れば、彼らもわれわれ同様に笑ったり怒ったりする人間であることに変わりはないのだ」

極めつけは、こうだった。

「ラフカディオ・ハーン、岡倉天心、鈴木大拙は、ありもしない神秘の日本をでっちあげた三悪人である」

こうしたアメリカ側の反応に対して、フランス側の日本観は一線を画するもので、それには私は救われる思いがした。しかし、フランス人とて、ハーンを「ナイーブ」とする見かたを完全否定したわけではない。デカルト精神が万能細胞的威力を発揮するからだ。フランス人にとって重要なのは「エスプリ」と「レゾン」であって、「心情」は二の次である。日本人が信ずるとき、彼らは疑う。私は留学中にこんなことを体験した。パリの映画館で、ある日本映画を観たときのことだ。『湯島の白梅』のような主題だった。恋する男が、灯影で鉛筆を削っている。と、うっかり指先を傷つけてしまう。はっと不吉な胸騒ぎがして思いにふける。事実、そのとき、恋人は、実際にどこやらで貞操の危機に瀕していたのだ。そこのところの思い入れが日本的感性からすれば共感を呼ぶのだが、フランス人観客の反応は違っていた。一斉に、「ちょっちょっ」と舌打ちしたのである。警戒信号だ。「レゾン」（合理）にあらず、という——。デカルト精神からすれば、そんな感傷など、児戯にもひとしい……

明治・大正時代ならいざ知らず、ＤＤＴの消毒剤とともに民主化が「十三歳の知能なみの国民」（マッカーサー）たるわれわれの頭上に呪いのように振りかけられた敗戦直後の日本に、禁断のラフカディオ・ハーンに憧れて到来したという一事からして、ベルナール・フランクは、まさに、アイヌ語の原義における「マロット」——稀人《まろうと》だったのである。

ブルーのソファのサロンで対話を続けながら私は、脳裡にぱっぱっとフラッシュのように焚かれるこれらの記憶の断片を追っていた。

「実をいうとね、ムッシュー竹本……」

と、告白の翳りをおびた口調に、われに返った。

フランク氏の口から洩れた「レゾン」の一言が、催眠術師のキーワードのように半ば自己催眠的な追懐から私を引き戻したのだ。

「……事は、レゾンではなく、ミステリーの領域に属すると私は確信しているのですよ」

はて、何を云おうとするのだろう。

怪訝な面持ちを見て、説明する。

「いやあね、日本への、これほどまでの自分の愛着のことですよ。要するに、一個の人間と、一個の民族の間には、人と人の間と同様の親近感がはたらくんじゃないでしょうかね。親近感のネットにかためとられているような――」

「先天的に、ですね」

と私は応じた。

「そうそう、先天的にですよ。私は、よくこう云われました。なんで、おまえさんは、そのように相も変わらず日本に惹かれているのかって。こう聞かれるたびに、こっちはくどくど理屈を並べ立てるのですがね。でも、心の奥では、どれも真の理由にはならないと感じているのです」

「私も、自分とフランスの関係について、いつもそのように感じてきましたよ。人と人との関係と同様とおっしゃるのは、本当にそのとおりだと思います。たしかに、親近感……ほとんど愛というも同じじゃないでしょうか。そういえば、マルローからも、《私が選んだとは、何かが私を選んだということと同様だ》と聞かされたことがありました……」

「ウイ」

と大きくフランク氏は頷いた。


共感の中で、しばし会話が途切れた。

そこへ、パンタロンにエプロン姿で仏蘭久淳子がカフェを運んでくる。家のどこかで制作中らしい。エプロンに飛び散った絵の具がそのまま抽象絵画になっている。

「あれは……」と、身をひねって彼女は後方の本棚を指さした。見ると、いちばん高い棚に大きなマスターボックスが二十個ばかり並んでいる。「あれは、ぜんぶ、日本についてのベルナールの研究ノートですのよ。残りの人生で一箱ずつ本にしていくと申しております」

そんな学殖にも情熱にも、こちとらはとても及びもつかないなと恐れをなして見上げていると、大先生、どこ吹く風かとばかり、こういうのだった。

「それよりも、お化けの話をしましょうよ」

出た、と、こちらは思わず身を乗り出す。

「あなた、のっぺらぼうを読んでさしあげたら？」

聞くが早いか、大柄な体が身をひるがえし、戸口に近い書棚に飛びついた。と見るや、一冊の本を取り出して戻る。その素早いこと！　もちろん、ハーンの『怪談』である。その「むじな」のくだりを朗読しはじめる。最後の「それは、こんな顔じゃなかったですかい」の落ちのところまで、声色たっぷりに。

夢、いまだ去らず——。

ハーンに憧れ、日本に渡った二十七歳の青年が、初心忘れずに、まだここにいる。私はすっかり嬉しくなってしまった。云いたいと思ってきたことが、思わず口をついて出る。

「フランス人としては、フランクさんのようなお化け好きは珍しいですね」

「合理的思考が身上ですからね、わが同胞は——」

「『怪談』は二十世紀初めに仏訳されていますね。しかし、本当に影響をあたえたのは、一九七〇年代に小林正樹監督によるその映画化作品が入ってきてからではないでしょうか」

「あれは素晴らしい」

「えゝ、パリの映画館で、上映が終わると大喝采が起きますからね。しかし、あのフィルムより先に、溝口健二監督による『雨月物語』が入ってきましたね」

得たりとばかりフランク氏は答えた。

「あゝ、あれこそ、至宝ですね。そもそも私がハーンに惹かれたのは、西洋のようにこの世とあの世を画然と分けない日本的メンタリティに惹かれたからなのですが、あの溝口映画ほど見事にそれを映像化した作品はありません。森雅之の演ずる哀れな陶工が、京マチ子の扮した妖艶な美女に導かれて、荒れはてた屋敷に入ると、長い廊下を歩いていく間に、いつのまにか非現実の世界に入っていく……。生死の間にセパラシオン（分離）がない。それがまた、なんとも美しいシーンで、たまりませんね」

ここで急に、そこだけ日本語になって、

「ユーメーカイ（幽明界）をコト（異）にする、という言葉がありますが」

と云ったあと、またフランス語に戻ってこう云いたした。

「日本には、幽明界を異にしない文化があります。私がさっき、個人と民族の間の親近感と云ったのは、それなんですよ。中学でヴィアル先生から初めて日本の話を聞いて電撃を受けた瞬間から、それは始まっていました」

「アルフレッド・スムラー氏をご存じですね」

「えゝ、もちろん」

「レジスタンスのヒーローで、ド・ゴール将軍が手ずから勲章を授けたほどの偉人ですね。アウシュヴィッツから生還し、最後は来日して日本女性と結婚して亡くなりました。私はスムラーさんを非常に尊敬していたので、ぜひ回想録を書くように勧めて、翻訳出版させていただきました。『アウシュヴィッツ186416号、日本に死す』というのですが、その中で、やはり、このように書いているんですよ——初めてパリで俳句を詠んだとき、自分はデジャ・ヴューを感じた、と」

「デジャ・ヴュー、それですよ」

とフランク氏は膝を乗り出した。

私は、大神神社で、フランス人学者団が蒼古たる神苑の雰囲気に感動して、口々に「デジャ・ヴュー」を感ずると云ったことを思い出していた。で、そのことを物語ると、こう興味深い応答が返ってきた。

「日本をとおして、私共は、未知の自分を発見するのです。未知でありながら、それを発見したときには、実はもともと知っていたのだと感ずるような、ね——。日本は強烈にそのような感情を掻き立ててくれる国なのです」

窓外が暮れてきた。

コレージュでの講義開始は数日後に迫っている。そろそろ宿に帰って原稿でも読みなおさなければと腰を浮かしかけたところ、低い抑えた調子で目前の人はまた口を開いた。

「私はよくこう聞かれるんですよ。何十年もの間、あなたは空想の日本を追っかけてきて、いまなおそれが現実の日本の中にあるとでも思っているのかね、と。現実の日本は、超ハイテク国家になってしまったのに、と」

話者は、こういいながら、両手を組んで胸のあたりに持ちあげた。神父が敬虔な祈りをささげるときの身振りのように。

「こうした問いに対して私は、さっきお話ししたように、自分の愛着には何の変わりもありませんと答えることにしています。戦後の日本が、生活、躾け、思考、あらゆる面で大変化したことは事実です。ほら、『方丈記』の冒頭にいうでしょう、流れの中の水泡《みなわ》は、かつ消えかつ結びて久しく留まりたるためしなし、と。現代の日本にはそのような泡沫現象が山ほどあることは確かですが、流れの底に何か、揺らぎもせず、どっかと坐っているもののあることは疑いありません」

こう云ったあと、組んだ手をほどいて優雅に広げながら質問した。

「天皇にお会いしたときのことをお話ししたでしょうか」

「いや、まだです」

天皇とは、この会話の行われた一九八八年末のあの時点においては、もちろん、昭和天皇だった。いや、ぎりぎりその最後の御代にわれわれは生きていたのだ。このことは私にとって、あとで深い意味を持ってくる。

「初めてそのお姿を拝したのは、一九七一年秋のことでした。天皇皇后がヨーロッパにお見えになったときです。パリのノートルダム大聖堂にお出でになると聞いて私は駆けつけました。大聖堂は、日本の天皇がお見えになるというので黒山の人だかりでした。私は、ようやく正面入口から入って、群衆の頭ごしに、遠く内陣のほうに瞳をこらしました。そしてはるかに……」

と云いかけて、日本語に切り替え、

「御竜顔を拝することができたのです」

と云った。

ここらあたりが、並みの「ジャポニザン」ならざるところである。

日本人でも、近頃は、こんな語彙はもうめったに出てこないであろう。『源氏物語』の世界にこの人は生きているのだと思った。昭和天皇の御来仏の折は、私も日本大使の公邸で岸恵子さんと並んで拝謁の栄に浴したが、そんなことを口にする気持にはならなかった。それよりもノートルダム大聖堂で「はるかに御竜顔を拝した」ことのほうが数倍も尊い真情が篭もっていると思われた。

こちらの感動とはかかわりなく、謙虚な語り口で言葉は続く。

「その後、私は、日本学士院の外国人会員に選ばれて、その折に初めて陛下に拝謁いたしました。会場の末席に畏まっていますと、驚いたことに陛下は私の前にお出でになって、いろいろと御下問になられました。特に『今昔物語』の訳者であることにご興味をお持ちのようでした。あとで、院長から、あのような者が会員になったことはまことに喜ばしいと仰せられたと伺って、この上ない光栄と感激いたしました……」

このような敬虔の心の持主なればこそ、マルローの熊野・伊勢路の旅をも発想しえたに相違ない。

そればかりではない。「死は光の道」とインドのラジャ・ラオ師はマルローに教えたが、それが真実であることを自証してベルナール・フランクは世を去るのだ。歿後、私は、淳子夫人からその臨終の感動的様子を聞くめぐりあわせとなる。そのことは稿を改めて語りたい。

*

フランク邸を辞し、コンコルド広場でメトロを降り、帰路をたどりながらも、なおも会話の余韻に浸っていた。

フランス人が、ここが世界でいちばん美しい広場《プラース》だと胸を張る――イタリア人がサン・マルコ広場についてそういうように――この「プラース・ド・ラ・コンコルド」が昔から私は大好きだった。特に、夜景、正確にいえば、冬場、夜景に切りかわる午後五時が。その時刻、オベリスクを囲んで一斉に街灯がともる。すると、まるで宝石の涙を撒き散らしたような……という少女小説なみのおセンチな形容が、恥ずかしげもなく胸に浮かんでくるのだった。ナポレオンのエジプト遠征の戦利品である石塔が高々とそびえる回りを車の光が流れ、自分もいつのまにかそこを泳ぐ一匹の魚となって……

その回遊魚が帰ってきた、と思いながら、半円形に回ってトリノ街のほうに向かう。

さっき、長い会話のあと、フランク氏が戸口のところまで送ってきながら云った言葉が、まだ胸にこだましている。片腕をアーチのように壁にかけて、こごむような格好でこう云ったのだ。

「告白しますが、私は、日本の変化そのものに奇妙に幻惑されているんですよ。つぎつぎと日本は変化するが、その底には常にある種の幻想的な想像力がはたらいていて、そのために、粋を極めた技術が単なる技術に終わらないのだ、と」

この言葉は画家のシャガールが私に云った言葉を思い出させた。ニース近郊の屋敷に訪ねたときのこと、談たまたま日本の産業のことに及んだ。「日本の産業は素晴らしい」と巨匠がいうので、私が謙遜して「日本人は働きすぎだと批判されているんですよ」というと、こう応じられたのだった。

「いやいや、日本の産業には、サクレがあるよ」と。

この場合、「サクレ」とは、日本語では、単なる「神聖」ではなく、「神聖なる凄み」とでも訳さなければ通じないだろうなと感じたものだった。

そんなことを思い出しながら、シャガールの言葉をフランク氏に伝えた。と、壁にかけた手を下ろし、その手で私の肩を軽くたたいて彼はこう締めくくったのである。

「そうですよ、日本という国は、いつも、外観の奥に一種の意外性がひそんでいる国なのです。それが私共を凡庸から引き離してくれるのですよ。そこから私共は、ある見えない場へと引き入れられていきます」

最後の最後に、最重要の一言は出てくるものだ。

「ある見えない場」——それが知りたくて、われわれは、天下の険の、あの筑波越えをやったのだ。

「どのような場、なのでしょう」

と質問した。

返事はこうだった。

「別の異界、でしょうね」


「異界」というだけでも日本の学界ではまともに扱われないのに、この碩学は平然と「別の異界」(an autreailleurs) と云っている。

西洋の「異界」に対して「別」なのであろう。

が、日本人自身には、それは見えないのではなかろうか。

それでは、いかなる「別の異界」かということを、マルローと日本の出遭いをとおして語るために私は招かれてここにやってきた。

アリスやオルフェが通り抜けた西洋神話の鏡の向こうと、マルローが見透した那智の滝のかなたでは、どう異なるのだろうか。

第二章　アレクサンドロス大王の血染裂《ちぞめぎれ》

柳橋料亭の講釈師マルロー

「フランクさん、先日はあなたから不思議な童子の顕現の体験談を伺いましたので、今日は私のほうからお返しの奇譚を一席披露するとしましょう」

こう私は切り出した。

前回のベルナール・フランク邸訪問からまだ三日しか経っていない。同じサロン、同じブルーのソファの上に、向き合って二人は腰を下ろしていた。

類は友を呼ぶ、であろうか。

世間は、世にも不思議な物語に興ずる人々と、そんなものを疑ってかかる人々に分かれる。中世日本仏教研究の権威、フランク教授と私は、前者に属するタイプである。これから語ろうとする出来事の体験者、マルローも、同様。三人は「那智の滝」でむすびついていた。フランクは熊野古道の旅の立案者、マルローはその実践者、私は目撃者という、三位一体の役割で。

加えて自分には語り部の役も課せられた。二日後にはコレージュ・ド・フランスで、ずばり「マルローと那智の滝」という演題で連続講義すべく招かれてやってきている。「又、会ふぜ……瀧の前で……」のフランス版秘事ともいうべき出来事に照明を当てる役割を、私は背負わされた。照明を当てられる以前の、隠微な個的体験を、三人三様に持っている。そこから自ずと滝の前に押し出される格好となった。デイヴィッド・ボーム風にいえば、まさに「明在系は暗在系から生ずる」といった具合に――。

白昼、光輝く一条の滝の前で出遭うようにわれわれ三人を押し出した暗い力とは、何であろう。

フランク教授にとっては、「剣の童子」とおぼしき不思議な少年がソルボンヌ前の駐車場に顕れたという出来事が、その暗い力に属するものであった。誰が何といおうと、教授にとってはそれは、その信ずる勢至観音菩薩からの遣《つか》いにほかならないものだった。私の場合は、あの「クエヒコ」を例に挙げうるであろう。既述のごとく（第四巻 筑波篇）、古拙な笑いを浮かべて大神神社で顕現した物怪は、大国主命の分身と判明した。マルローにおいては、さすがに一段と格が高い。那智の滝に向かって、思わず彼は「アマテラス」とつぶやいた……

名づけがたきものがそのように名を持つ瞬間というものがあると、私は云いたいのだ。信仰のあるなしにかかわりなしに。昔ならば、そのような体験が信仰への扉を開いたことであろう。そして諸宗教はその解明の場であった。現代は、奇蹟が残り、信仰が消えた。では何のために依然として顕現は起こるのだろうか。

フランク教授から「剣の童子」の出来事を聞いたのちに、今度はお返しに私がマルローの身に起こった不思議を語りたいと思ったとき、ざっとこのような考えが頭に渦巻いていた。

「それは一九七四年六月一日の真昼どきでした……」

と私は語りはじめた。

「九時間後には、マルローは、三週間にわたる最後の日本滞在を終えて帰国の途に就こうとしていました。そう、あなたの立てたプランのおかげで、その五日まえに彼は熊野路、ついで伊勢路に入って、二つの啓示を受けたところでした」

「ウイ」

と教授は、大きな眼鏡をきらきらさせて満足げに頷いた。

「その日、上野の国立博物館まえには、モナ・リザを見るための長い長い行列ができていました。しかし、その中の誰ひとりとして、天下のこの名品を日本に送りよこした恩人、アンドレ・マルローその人が、まさかすぐ傍らを通りすぎていくと気づいた人はいなかったでしょう。新聞はモナ・リザ大使と彼を呼んでいました。博物館の東洋館からわれわれは出てきたところでした。われわれとは……」

……われわれとは、齢七十三のマルローと、その終の伴侶ソフィー・ド・ヴィルモラン、駐日フランス大使ラブーレ氏夫妻と、私の五人である。国立西洋美術館の山田智三郎館長をはじめ、七、八人の美術館館長たちの合同の招待を受けて、柳橋の料亭に向かうところだった。

マルローは、ご機嫌ななめだった。どうしても見たいというある作品を、博物館側は、わざわざ蔵から出してくるのは大変とか何とか言い立てて、ついに見せずじまいにしてしまったのだ。「モナ・リザ」を送ってもらいながら、何たる非礼！　炎天下に行列する人々の脇を通りながら、右側のソフィーに身を傾け、さも憤懣やるかたないといったように洩らす言葉が私の耳に聞こえてきた。

「アサヒと、フォンダシオンと、二つ揃っていて、見たい絵ひとつ見られないんだからな」

朝日新聞社と「フォンダシオン」こと国際交流基金の共同招待で実現した今回の訪日であった。朝日にとってマルローは、「ミロのヴィーナス」と「モナ・リザ」と、門外不出のルーヴルの至宝を鶴の一声で二度までも招来させてくれた大恩人である。いっぽう、基金のほうは、その文人理事長、今日出海が、俺はマルロー年来の友《アミ》だと胸を張っていた。この両者が揃って、所蔵作品の一点や二点、動かせないはずはなかろうというのである。

尤もな話だった。官僚主義の壁であろう。これから会食する相手の国立美術館の館長たちがその同類でなければいいのだが……。日本での最後の公式食事会というのに冴えない雰囲気になるのではと、暗影を胸に感じていた。

料亭の一室の細長いテーブルを前に、日仏の客人はかなり別れて固まった。宴席を仕切る人もなく、最初から外交的配慮が欠如していた。通訳をつとめる私を対称軸にして、右側の床の間寄りにマルローとソフィー、これと向かい合って駐日フランス大使のラブーレ夫妻、私より左手に、美術館の館長諸氏といった具合に。

予期したように、一座の雰囲気は最初からひんやりしていた。日本人側から、誰か一人でもいい、新聞が伝えたような「マルローは那智の滝に最も感動した」といったことでも話題に出してくれたなら……。そうひそかに願ったが、粛として声もない。フランス側のほうが、ずっと、内面に入っている感じだった。ラブーレ夫妻は、京都・奈良でマルローに同行してきている。京都博物館では、もはや伝説的となったマルローの「頼朝・重盛比較論」を謹聴していたし、修学院離宮や桂離宮の庭めぐりでも神妙に随いてまわっていた。

2

3

1

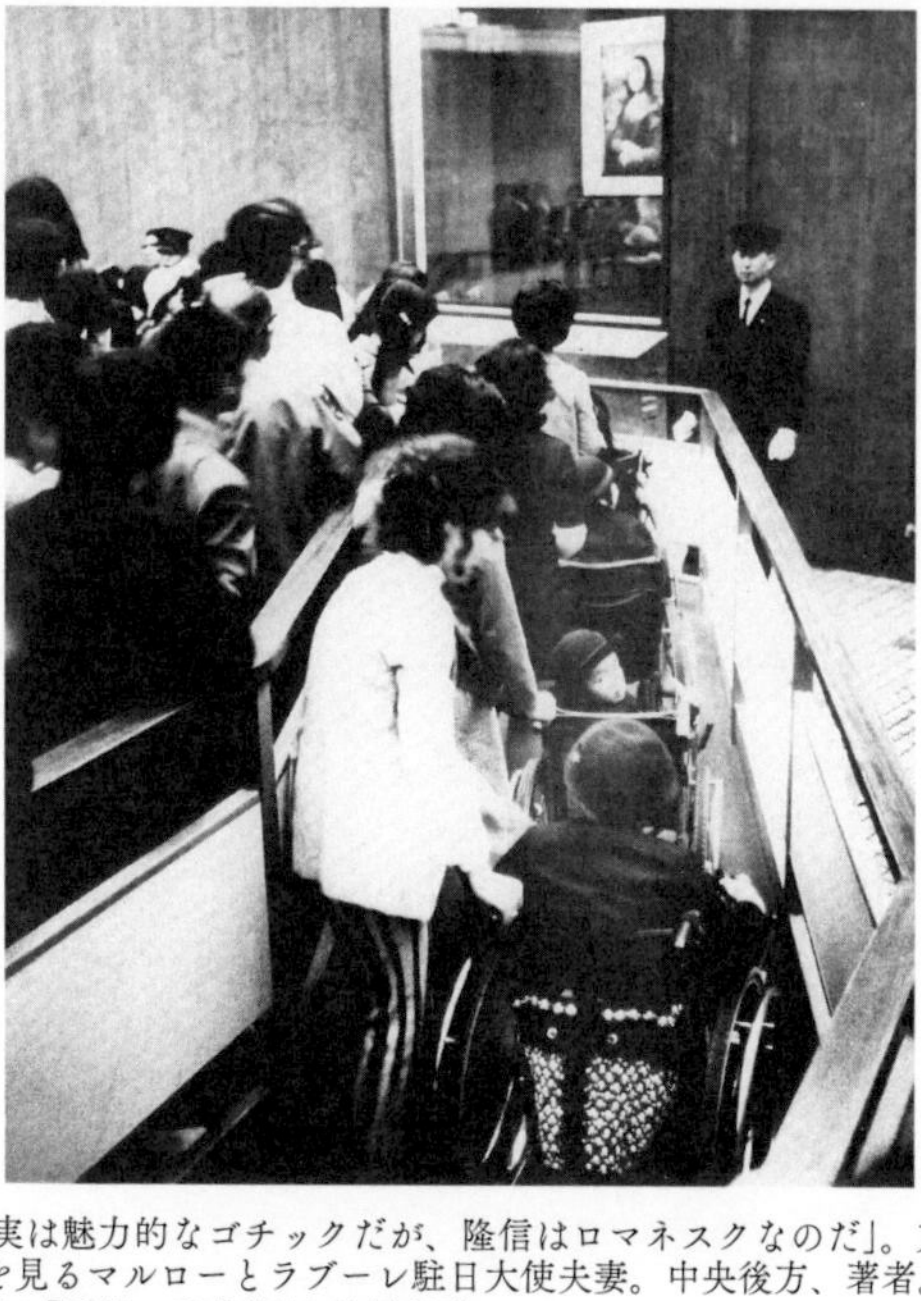

4

1.　「なるほど、信実は魅力的なゴチックだが、隆信はロマネスクなのだ」。京都国立博物館で藤原信実の人物画を見るマルローとラブーレ駐日大使夫妻。中央後方、著者。
2.　同じく藤原隆信の「頼朝・重盛像」を比較鑑賞。
3-4.　ルーヴル美術館の至宝「モナ・リザ」はマルローの鶴の一声で日本に送られ、上野の国立博物館を取り巻く延々長蛇の列ができた。

「日本側の無関心に比べてフランス側は立派でしたよ」と私はフランク氏に云った。

「皆さん、お揃いで、那智の滝にまでいらっしゃいましたものね」

「えゝ、マルローの出発後のことでしたが」と氏は応じた。「マルローがそこで一種の天啓を得たと知って、大使夫妻と出かけたのです。えらい豪雨に遭って、何日間か勝浦の旅館に閉じこめられましたがね」

「そのあと漸く瀑布の前に立ったとき、マルローの心情を偲んで自分は涙を流したとフランクさんはお書きになっていますね。NRF誌の追悼特集でご文章を読んで感動させられました……」

そうだ、あの日、あの料亭で、奇妙な主客転倒が起こっていたのだ。フランス人が感じ、日本人がもはや不感症であるような。

粋を懲らした日本家屋の座敷で、主賓に対して大使夫妻が示すような親愛感が、そもそも日本側には欠けていた。うっすらと、磁石の斥力のようなものさえ感じられた。私は、相反する磁力の、ちょうど真ん中にいた。マルローはマルローで、面白くないのか、大使夫妻とのみ語り、完全に館長一行を無視していた。

御殿女中のように豪華に着飾った仲居たちが、裾さばきの音もあざやかに、入れ替わり立ち替わり膳を捧げ持ってくる。しかし、日本人団は箸を動かすのみで、しわぶき一つ聞こえてこない。挨拶もない。異常だ。笛ふけど、客踊らず――。私はだんだんと苦痛を覚えてきた。通訳とは訳すばかりが能ではない。時と場合によっては指揮棒も振らねばならない。この点、こっちは、幸いと場数を踏んできている。よし、一丁行くか……

ちょっと失礼、と右隣の会話に割りこんだ。館長軍団はびっくりして見ている。

「ムッシュー・マルロー、どうです、コダリ夫人の話をなさっては?」

マルローは、一目で情況を見てとった。得たりとばかり、お得意の人差指をぴんと撥ねあげるポーズをとって、目の前の大使の顔を見た。注意、という仕草だ。よし、いいぞ。

「コダリ夫人という当代随一の女霊能者がいてね……」

マルローがその霊能者から大変なことを聞かされたという秘話を、私は『ラザロ』で読んで知っていた。そしてもっと詳しく知りたいと願っていた。最後の訪日の最後の日というのに、お通夜の晩のような「義理めし」を付きあわされるよりは、怪談ばなしを語るほうが、よっぽど彼の性に叶っているだろう。

こうして、ゆらゆらと障子に映る泉水の照り返しを受けながら、講釈師マルローの世にも不思議な物語は始まった。

「あれは一九五七年のことだった。ある日、ルーヴル美術館長のジョルジュ・サール君が一枚の写真を持って私を訪ねてきてね……」

右の耳で聞きながら私は左に向けて同時通訳を始めた。

ジョルジュ・サールといえば、ルーヴルのみならず、全仏美術館総館長という美術界きっての重鎮である。メソポタミア考古学界の第一人者として名声を馳せている。マルローとサール両氏の監修による壮大な『人類の美術』叢書が刊行中で、日本版は新潮社から出ている。日本の美術館長諸氏、少しは関心を示すだろう。

「その写真は、見ると、何か絵のようなものが写っている」

とマルローは続けた。

写真は、イランのある骨董商からサール館長のもとへ送られてきたものだった。その骨董商とマルローは馴染みの間柄だった。イラン古物業界の元締で、いいかげんな贋物を摑ませるような男ではない。

絵葉書ほどの大きさの写真に写っているのは、一枚の裂地《きれじ》だった。蝶の影のようなものがぼうっと浮きでている。蝶の羽状の部分を、細い静脈状の筋が、びっしりと、総《ふさ》飾《かざ》りのように飾って。

しかも、裂地には二つの穴が開いていて、何かの顔のようにも見えるのだった……

二つの穴と云ったところでマルローは、両手の人差指を自分の両眼の前にぴょんと突きださせ、相手の気を引くようににやりと笑った。

「まるで判じ物ですね」とラブーレ大使は応じた。「で、そのイラン人は、いったい幾らくらい吹っかけてきたんです？」

「五十万フランだと」

ひゅう、と大使は口笛を鳴らした。

「自分の美術館に買わせてもいいとジョルジュ・サールは考えていた。しかし、図柄も分からないでそんな大金を払わせるわけにはいかない。骨董商のスーレマンは古代《こだい》裂《ぎれ》に関しては目が確かだから、心配ない。そこで、くだんの写真をルーヴルの全部門に巡回させたが、どのエキスパートも鑑定できなかった。独創性はみんな認めたがね。といって、正体不明のしろものを美術館評議会に買ってくれともいえない。思い余って、サール君、私のところに相談に来たという次第だった」

私のところとは、パレ・ロワイヤルに陣取った文化省の大臣室である。ルーヴル美術館は、リヴォリ通り一つ隔てた隣り合わせの距離にすぎない。

写真を挟んでルーヴル美術館長と文化大臣がいちばん注目したのは、図柄のシンメトリーという点だった。左右、ぴたりと折り重なるように織られている。オリエント世界ではシンメトリーは『ギルガメシュ叙事詩』の時代にまで遡れるが、この図柄はそうした古代様式とは全く無関係とマルローは考えた。イスラム以前のものであることは、アラベスクが表されていないから間違いないが、ササン朝ペルシアにこんな蝶々のような文様はない。

「二人で大いに蘊蓄を傾けたがね、さすがの私もついにサジを投げたよ。すると、サール君が、こう訊くんだ。あなたは、マダム・コダリ＝パシャをご存じですかってね。あゝ、知っていますよ、千里眼で有名なコダリ夫人なら一度会ったことがあると答えると、彼はこう云いだした。どうです、そのコダリ夫人に見てもらいに行こうじゃないか——とね」

ここまで通訳しながら私は、はたして日本人側の反応や如何と様子を窺った。はたせるかな、二、三の館長先生の口唇に薄ら笑いが浮かんでいる。一同の中でただひとり、国立西洋美術館長の山田智三郎氏のみが私とは顔なじみだったが、氏もなぜか知らん振りである。なあんだ、フランスの文化大臣とルーヴル美術館長ともあろう者が、揃いも揃って、霊能者に作品鑑定を頼みに行ったとは！

だが、こうした懐疑派の反応など、てんからマルローは問題にしていないようだった。

そのとき、大使夫人が初めて口を開いた。

「あの……、コダリ夫人とおっしゃいますと、絶世の美女と謳われた、あの方でしょうか」

この質問に、マルロー、得たりとばかり、

「そうですとも、奥さん、かつて、モード雑誌の『ヴォーグ』が、世界三大美人の一人として選んだその人です。かくいう私も、二十年ほどまえに会ったときに、なるほどと感じ入りましたよ」

「でもなぜ、パシャと名が付くんですの」

「なにしろ、オスマン・トルコのアブドゥル・ハミト皇帝の子孫ですからね。パリに来るまえは、エジプトの古都、ヘリオポリスの宮殿に住んでいた。サール君の話では、コダリ夫人は、その宮殿の入口に眩しいばかりの等身大の姿見《プシケ》を置いていたそうです。招かれた客人は、エメラルドのネックレスをかけて艶然とほほえむ実物と、皓々とそこに映しだされる鏡像と、一対の絶世の美女にいつも迎えられる仕組みだったとか。ところが、ある日、いつもは自分の艶姿にうっとりと見入っていた夫人が、突然、サール君のまえでさめざめと泣きだしたというんですね。鏡よ、鏡、何だって、もうこんな姿しか映しだしてくれないの……」

いや、閑話休題と、ここでマルローは素早く言葉を切った。ラブーレ大使夫人も、もはやうっとりと鏡に見入る年恰好ではない。すらりとした、モデルのようなラインの長身女性だが。

そこで視線を、並んで坐った大使のほうに戻して話者は言葉を継いだ。

「同じくパシャの称号を持つ石油王とコダリ夫人は結婚していましたが、われわれが訪ねたときには離婚して霊媒師になっていました。フレイヤ以来という評判でしたよ。え、フレイヤをご存じない？　二十世紀初めの最高の霊媒ですよ。ともかく、そのコダリ夫人に見てもらおうと、私は誘われたわけです」

ルーヴル美術館長と絶世の美人霊能者

「ここからマルローは本題に入っていきました」

と私はフランク教授に云った。

「いやあ、初めて聞く話です」

と教授は応じて、膝を乗りだした。

「興味津々です。それからどうなりましたか」

「まさにあなたのようにラブーレ大使が興味を示したので、マルロー、いよいよ調子づいて語りを続けました。それはこんなふうでした……」

コダリ夫人は、豪勢なアール・デコ調のヴィラに住んでいた。まあ、天下の美女も、熟年のサロメといった感じになってしまっていたが。

しんしんと雪が降っていた。

屋敷の四階の奥まったアトリエに、二人の来訪者は通された。

夫人は絵をたしなんでいて、そのシュールな作品が何点か、壁に架かっている。

開口一番、マルローに向かって彼女は云った。

「ジョルジュから電話をもらうまえから、今日あなたがいらっしゃるということは分かっていました」

ルーヴル美術館長が問題の写真と一握りの織糸を渡すと、夫人は両手でそれを受けとった。そして、燃えさかる暖炉の火を視つめることしばし、写真をテーブルに置き、右の手指をその上にかざして、あちこちと動かした。その間、左手に織糸を握りしめ、しきりと揉みしだく。と、突然、こう叫んだ。

「おや、これは、ぜんぜん図柄なんかじゃありませんよ。だいいち、染料など使われていません。これは、血です！」

黒白写真だったにもかかわらず、霊媒は、即座にこう指摘したのだった。

血染裂《ちぞめぎれ》だというのである。

ついで、こう云った。

「この裂《きれ》は、昔は二つに折りたたまれていました。そのためにシンメトリー的な文様めいたものにみえますが、けっしてシンメトリーといったものではありません」

のっけから、ずばりと指摘されて、二人の権威は仰天してしまった。この写真を回覧させられたルーヴル美術館の専門家諸氏も、誰ひとりとしてこれが血の染みだなどという者はいなかったのである。

フランスの美術館にこの裂地は入るでしょうかとジョルジュ・サールが尋ねると、これがヨーロッパに来ることはないでしょうとの返事。

しかし、二人の訪問者が本当に驚かされたのは、それからだった。つぎにコダリ夫人は、一人のアラブ人が見えると云いだしたのだ。

どうやら、写真を送ってよこした骨董商のことらしい。もっと時間を遡ってくださいとジョルジュ・サールが頼むと、夫人は火を視つめたまま、深いトランス状態に入った。

何分かの沈黙ののち、こう語りはじめる。

「ずっと遠い、遠い……どこかオリエントの世界……。そして、とてもとても大昔のこと……」

「それまで普通の調子でコダリ夫人の言葉を伝えてきたマルローの口調が、ここで急に変わりましたよ」と私はフランク氏に云った。

「知る人ぞ知る、マルローは座談の名手でしたからね。巫女の口寄せをまねた、うっとりした物云いのトーンに切り替わったのです。私も釣られて、声色を変えて通訳しはじめましたがね。マルローと掛け合いのような調子となり、並みいる美術館長諸氏はますます呆気にとられた感じでした」

戦場です、夜の……

戦いのあと、一人の王さまが、灯りを持った人々のあとから使者たちの間を探しまわっています。

ナイルのような河……。舟をつないだ橋が架けられています。もう一人の王さま。女たちが酒をついでいます……

黒い空から雨が降っています。毎日毎日……。あ、雨が止んだ。河の向こう岸は一面の火……

時が過ぎる……。馬に乗った白人種と、もう一方の側に有色人種。この人たちは、何に乗っているのかしら……。白人のほうは、ローマ人みたい……

「どんな服装をしているのか、見えますか」とここでジョルジュ・サールが質問すると、コダリ夫人は「裸足で、アルジェリア歩兵のようなズボンをはいています」と答えた。「どんな国の感じですか」という問いには、「ごつごつした山地の沙漠」と。沙漠というときに、「こちらの世界のような」と付け加えたところをみると、エジプトだろうか。

してみると、ローマがカルタゴに敗れた「ザマの戦い」かなと、マルローもルーヴル館長も同時に考えた。と、そのとき、一人の男が見えますと、霊媒は云いだした。

その男は白人種の首領です……

ローマ軍の総帥、スキピオかなと、マルローは考えた。ところが、間髪を容れず、「いいえ、髯は剃り落としています」との返事が返ってくる。続いて——

あゝ、巨大な動物が積み荷を載せようとしています。鼻を巻きあげた……あらあら、何かと思ったら、象だわ！　色を塗りわけたのもいます。あの男性の傍にも何頭か……。

その前方には兵士たちが。鉄の毬《いが》を体中に突き立てて……。まるで栗の毬々みたい……あ、別の男性が、彩色した象の一頭の上に乗っている。その前に、手に手に枝を持った兵士の群れ……。そこに、鳥が止まっています……


「この別の男性とは、スキピオの宿敵、ハンニバルのことかなと私は考えたよ」

とマルローは自分の声に戻って云った。

ラブーレ大使夫妻は、いよいよ話に引きこまれ、並んだ鶴のように首を突き伸ばした。

「ところが、たちどころにこちらの反応を察知したコダリ夫人から、こう云われたね
――違います、戦闘に勝ったのはこの男性のほうです、と」


山が見えます……。わたくし、ギリシアの山は知りませんけれども……。アキレウスの盾といった言葉が聞こえるわ……

それから、駱駝、また駱駝……

もうあの男の人は見えない……。あ、また、一緒になった……。その人は、自分が殺したある友のことを考えています……

大勢の兵士に囲まれて、夕暮、薪を燃やして埋葬が行われています。大きな標柱が立

てられようとして……。砂の上に炭火が燃えている。大きな馬の骸骨が、ずうっと山のほうに影を曳いていく……。隊商の群れがまた現れた……

「まあ、マルロー先生」と、ここでまたも私は霊媒から注意を受けたねとマルローは云った。「あの十字架のことを考えるのは止めていただけません？　こちらの邪魔になりますから」とね。

「まあ、本当ですの」と大使夫人が驚いて訊いた。「何を考えていらっしゃったんですか」

「フーコー神父が二本の木でつくった十字架のことですよ、奥さん。神父は、サハラ沙漠で隠遁生活を送っていたときに回教徒の手にかかって殺されたんですが、周囲百キロというもの一木一草も生えていない沙漠の真っ只中に、その十字架は突っ立っているのです。私はその光景を思いだしていたんだが、驚いたなあ、こっちの空想までお見透しだったんだから……」

料理も延々、高座も延々、通訳に口が二つあったらどんなにか楽だろうに。だが、クライマックスは、いよいよこのあとに語られようとしていたのだ。

ここで主役の登場ですよとマルローは前置きして、コダリ夫人の声色に戻った。

兜に葉かざりをつけた首領たち……。その何人かが酔っぱらって、大げさな身振りで歌っています……

あの男の人が怒鳴っている。でも彼は、とても淋しがり屋。やはり葉っぱを兜につけているわ。白い花も……。女たちもいます……

こんどは彼は大きな船の上に寝そべっています。兵士たちが小舟でその前を通りすぎながら歓呼の声を挙げる……。あの人は腕を上げてそれに応える。周りは、あっちこっち、鰐だらけ……

こんどは、これはまた、とても大きな、大きなテント。絨毯で内部が幾つもの部屋に仕切られていて……。あゝ、たくさんの女たちが、百人……いえ、もっとかしら、こちらへ進んできます。何組もの結婚式だわ……

「いまを措いてチャンスはないと、ジョルジュ・サールも私も同時に考えたね」

とマルローは自分の声に戻って云った。

「しかし、サール君のほうが一瞬早く、こう尋ねたよ――その人の顔がどんなか分りますか、とね。これに対して、はい、ようやく……とコダリ夫人は答えた。どんな目をしていますかと急《せ》きこんで尋ねると、なんと、こう答えたのだよ――

あらあら、片方の目がブルーで、もう片方の目が黒よ！
ここでマルローは、思い入れたっぷりに、静かにこう告げた。
「いうまでもない、マケドニアのアレクサンドロス大王にほかなりません」

読み切り講談のように、ここまで一気に語り終えるとマルローは、綺麗な手つきで箸をあやつって鯛の刺身を口にはこんだ。酒は医者に厳禁されていた。本当なら、師匠ご苦労さんでしたと、弟子から一献ささげるところだったが。

呆気にとられたように、ラブーレ夫妻も暫し沈黙していた。

だが、それは、日本人グループの沈黙とは異質のものだった。マルロー独演の雰囲気をこわさないように私は秘術をつくして同時通訳をつとめたつもりだったが、かりに話者が日本語で直接ストーリーを語ったとしても、反応はかくべつ共感的になりはしなかったであろう。

美術館長たちの沈黙を前に私は、初めてヴェリエールのマルロー邸を訪ねたときに云われた言葉を思いだしていた。

「世の美術家と自分の異なるところは、彼らが美術を美術館で発見したのにひきかえ、私は世界で、発見したということです」と。

マルローにとって、この「世界」とは、途方もなく広大なものだった。沙漠と星々の間に築かれた壮大な古代文明にまたがり、さらに超自然とむすびついているような――。

たしかにそれは、美術館には入りきらない。


片方の目がブルー、もう片方が黒……


「以上、アレクサンドロス大王血染裂の一席のお粗末でした」と私が語り終えると、たった一人の客であるフランク教授は、深々とした声で質問した。

「それから、その裂地はどうなったんですか」

ベルナール・フランク邸のサロンで向かい合ってから二時間あまりが過ぎていた。

「剣の童子」に自身救われたという氏の体験談に釣られて、こちらも取っておきの奇譚を語ったのだが、思えば、そこには、世に知られざるアンドレ・マルローの超自然癖ともいうべき一面が表れていた。

「後日談もなかなかに興味深いものがあります」

と私は答えた。

「マルローは、九死に一生を得た晩年の大患のあとで書いた『ラザロ』の中で、そのことを回顧しています。それによると、コダリ夫人から、一方がブルーでもう一方が黒という目の持主と聞かされて、ルーヴル美術館長ジョルジュ・サールとマルローは、同時に、これはアレクサンドロス大王のことだと直観したのでしたね。言葉もなく、互いに顔を視つめあうばかりだったと述懐しています」

「目のことは確かに『プルタルコス英雄伝』に出てきますね」

「はい。しかも、大王についてのコダリ夫人の透視は、そこで終わらなくて、そのあと、大王の死と埋葬の光景について詳細に語ったということです。そうして、夢から覚めたように催眠状態から戻ると、夫人は、少しはお役に立てましたかしらと云ったきり、あとは自分が何をしゃべったかについて、まったく関心を示さなかったというのです」

「まさに本物のメディアムですね」

「いっぽう、聞かされたほうの二人は、それからが大変でした。名だたる大知識人が二人ながらにすっかり動顚してしまって、あたふたと暇を告げるや、大急ぎで階段を駆け下りていったというのですから、何だか微笑ましくなります。え、何ですって？」

フランク氏は、組んでいた両手の指を離して、ひらひらさせながら笑って云った。

「いや、例の日本側の美術館の先生たちが聞いたら、さぞやますます憤慨しただろうと思いましてね」

「続きを聞いたら、もっと大変だったでしょうよ。それから、どうしたと思います？二人して、通り一つ隔てたルーヴル美術館へ向かったんです。ただちに、霊媒の言葉を検証しようというのでね。超自然の鍵がわれわれを待ちうけるかのように——とマルローは書いています……」

……それから、実際に検証が始まった。

二人が共に大のアレクサンドロス崇拝者だったということが、すでに看過すべからざる暗合だったのかもしれない。

ルーヴル美術館長にしてフランス国立美術館総館長ジョルジュ・サールと、文化大臣にして二十世紀美学の革新者マルローが、それぞれ、合理《レゾン》を近代の最高神として奉ずることから生まれた共和国の最高の審美の座にありながら、共にルーヴル宮殿の一室に額《ひたい》を寄せ合い、一つ灯《び》をかかげて霊界めぐりをしようとは！

しきりとセーヌに降りしきる雪を窓ごしに眺めながら、こもごもに二人はアレクサンドロスへの思い入れを語るのだった。マルローが、『インドのアレクサンドロス』というテーマで自分は演劇か映画にするつもりでシナリオを書いたといえば、サールのほうは、自分は発掘をとおして終始この歴史的偉人の影を追っていましたと告白して、こういうのだった。そもそもペルシアで発掘をしていれば、しょっちゅうこの大人物と出喰わさずにはすみませんからね、と。

そんな二人が、コダリ夫人の超能力に対してささげる讃辞は尽きなかった。

最大の驚異は、夫人が「血染め」を云いあてたことだった。もしかして霊媒師は、テレパシーによって、二人の知識や記憶を読みとったということもあったかもしれない。マルローが心中ひそかに「十字架」のイメージを思い浮かべた瞬間、止めてくださいと注意されたことからも伺えるように。しかし、その場合にも、血痕のことは別としてと云わざるをえなかった。ルーヴル中が総がかりになって文様のあれこれを言い立てていたさなかに、彼女ひとりが、ずばり、これは血ですと透視したのだ。

ジョルジュ・サールは、ふところから、透視中に取ったメモを取りだして読みはじめた。特に彼の関心を引いたのは次の点だった。

――「彩色された象の群の指揮官と、もう一方の彩色象軍の指揮官」と云ったのは、アレクサンドロスが独自の天才的戦術をもって打ち破った二つのペルシアの大軍、ダレイオスとポロスのそれに対応している。

――「兜に葉かざりをつけた首領たち」とは、葡萄の枝葉を兜につけてのアジアからの帰還であろう。

――「自分が殺したある友のことを考えている」とは、最も信頼していた将軍クレイトスを酒の上の争いから殺してしまって、その呵責に大王が苦しんだという挿話を思いださせる。

――「有色人種と戦っている白人種で、アルジェリア歩兵のようなズボンをはいている」というのは、ペルシア騎兵隊の服装と一致している。

――「兵士たちが体中に鉄の毬々を突き立てて、まるで栗の毬々のよう……」とは、当時、オリエント世界の騎兵が着こんでいた魚鱗型毬々の鎖帷子《くさりかたびら》にそっくりだ。

――「薪を燃やす埋葬……大きな馬の骸骨」とは、インド遠征中の大会戦で死んだ愛馬、ブケファルスの埋葬か。この馬を偲んでアレクサンドロスは、この地に、「ブーケファファラ市」を建設している。

――そして何よりも、「片方の目はブルー、もう片方は黒」！

これはまさに『プルタルコス英雄伝』中の記述とぴったりではないか。

「たしかに、アレクサンドロスの目を彼女が見た瞬間から全ては一変してしまった」とマルローは嘆声を発している。

「何か神のオプセッションのようなものが漂っています」と霊媒が云った言葉に、とりわけマルローは引きつけられていた。『アレクサンドロス伝』を読んだ人なら、神として崇められたいというこの若きギリシア人征服者の執心は、あまりにも有名だからである」と。

続けて、見過ごしならない告白を、こう云ってのける。

「そもそも私は、終生アレクサンドロスを摑んで離さなかった超自然の存在に惹かれて、この人物の研究を始めたのです」

検証は、なおも続いた。

「月明を待って、その男の人は、死者たちからいちばん立派な鎧を集めさせている」光景は、かのイッソスの大合戦でペルシア軍に大勝した夜、実際にアレクサンドロスが行った行為を思わせる。「首領たちが酔っぱらって、大げさな身振りでうんぬん」と云ったのは、歓を尽くして彼らが呑みあかしたバッカス祭であろう……

あれこれと、幻視者の言葉と史実を突き合わせてみて、あらためてジョルジュ・サールとマルローは舌を巻くばかりだった。

「コダリ＝パシャ夫人を祝福しよう」とサールが云えば、マルローは、「かりに今宵、彼女がアレクサンドロス伝を読んだばかりだとしても、あのように、はそれを思いだすことは不可能だったろうよ」と応ずるのだった。

「それに、君も僕も」とマルローは付け加えた。「裂地が以前は二つ折りになっていたなどと考えてもみなかったし、従ってシンメトリーがそこから生じたものであることも知らなかった。血ともなればなおさらだ。ましてや、アレクサンドロスゆかりのものだとは……」

「こうしてひとわたり二人で検証が済むと」と、私はベルナール・フランク氏に云った。「さて、では、どうやってルーヴルに血染裂を買わせるかという談義に入ったのです」

「文化的陰謀ですね」

とフランク氏はふたたび笑った。

この染みが本当に血なのかどうかを確認することが急務と、サールとマルローは考えました、と私は続けた。ルーヴルのラボラトリーはもちろん染みの分析ができるだろうねとマルローが念を押すと、だいじょうぶとサール館長は請け合った。だが、そのすぐあとで、このように当然の疑問を呈した。

「とはいうものの、まさか霊媒の言葉を盾に、評議会相手に、五十万フランもの品を買ってくれとも云えないだろうし……」

「メセナの中に、誰かいないかな。評議会の中に、たしか、飛びきりの大口寄付者が一人いたと思うが」

マルローがこういうと、サールは
「寛容といえども彼らは慎重さを忘れるわけではありませんよ」と釘を刺した。「みんな前世紀の教育を受けた人たちばかりですしね」

「われわれのような人間は風狂と思われるだけなんでしょうな」

とマルローが苦笑すると、

「まあ、間違いのないところでしょうよ」

とサールは相づちを打った。


「……とまあ、ファルフリュという言葉を私は風狂と訳すんですがね」

ここでこう私がコメントすると、フランク教授は「名訳ですよ」と応じた。「フランス語でも日本語でもほとんど忘れられていた古語ですからね」

「十八世紀に廃語になっていたファルフリュ（farfelu）という語を復活させたのは俺だと、マルローは変なことで自慢しています。そもそも彼の若書きの処女作は『風狂王国』と題されていました……」

「ところで、血染裂の購入の話はどうなったんですか」

話が脱線しそうなので教授は催促した。


「二人の風狂居士は、ほとほと困り果ててしまいましてね」と私は言葉を継いだ。「そこで、ジョルジュ・サールは、実は自分にはこうしたことには前歴がありまして、と語りだしたんです。やはり、一枚の裂地だったそうです。寄贈品としてルーヴルに持ちこまれたその布きれが、出所、文様ともに、誰にも鑑定できなかった。そこで、ジョルジュ・サールは、それを、霊能者として当代最高といわれたフレイヤという女性に見てもらった。ちなみに、コダリ夫人は、フレイヤ亡きあと、その名声を継いだ立場だそうです。すると、一目見るなり、フレイヤは、あら、これは文様なんかじゃありません、葡萄酒の染みですわと云ったそうです」

「コダリ夫人が、血染めと云ったのと同じですね」

とフランク氏は応じた。

「ところがね、フランクさん」と私はやや語調を改めて云った。「こういうことを信ずるかどうか、ここが分かれ道となるところでして、ジョルジュ・サールは、たまたまこのエピソードをロジェ＝マルタン・デュ・ガールに話したんだそうです」

『チボー家の人々』の著者の――」

「この大河小説でノーベル文学賞を取る前だったか後だったか、わかりませんがね。ところが何と云われたと思います？　えらい剣幕で嚙みつかれたというんですね。そんなの嫌いだよ、君。そういうこと、僕が大嫌いだっていうこと、知らなかったとはね、と」

「ははは、われわれも云われそうですね」

「インテリにも二通りあるということですよ」

「で、その後は？」

「事はこんなふうに進んだのです……」


世間の常識の壁ということのほかに、もう一つ問題があった。ジョルジュ・サールはこうマルローに云った。

「血染裂がわれわれの手元に届いたと仮定しよう。ラボの分析が血痕を確認し、その近似年代も明らかになったと。ところで、誰がいったい、これがアレクサンドロス大王の血だということを証拠立てられるのかね」

紀元前四世紀の血染裂というだけでは、天下のルーヴル美術館といえども五十万フランもの大金をつぎこみはしないであろう。

「評議会はわれわれを軽信家あつかいし、財務部長は眉に唾つけて、絶対に金は出すまいと粘るだろうよ」

尤もな話ではあった。

しかし、ジョルジュ・サールは、ピカソをも驚かせた「諦めない男」として有名だった。美術館のキュレーターたちは、かつて印象派画家を無視した愚を繰りかえしてはならないと、自分が会長をつとめる全仏美術館評議会を動かして、マティスやピカソなど現代画家の作品を収める国立近代美術館を設立させたほどの実力者である。その粘り強さを発揮して、とうとうメセナの一人を説得し、その個人コレクション用として件の裂地を買わせる段取をつけた。

勇み立ったのはマルローである。時こそ来たれとルーヴル館長と連名でアラブ人骨董商に手紙を書いた。現物が届き次第、サールはそれをルーヴルのラボに送る考えだった。ところが、裂地は、一足違いで、モリスなる人物に買い取られたあとだった。抜け目ないスーレマンは、ルーヴル美術館が大変な関心を当物件に示していますよと吹きこんでいたのだ。ササン朝ペルシアの珍品と折紙をつけて。

やがて、慰めのように、モリスからサールのもとに一通の手紙が届いた。問題の染みを分析させたところ、果たせるかな、結果は、血だったというのである。

文化大臣室を訪れたルーヴル館長を迎えて、しみじみマルローはいうのだった。

「いつか、後の世に、アレクサンドロスの衣服が見つかって、その布地の織糸があの血染裂と一致するようなことにでもなったなら……」

二人の風狂居児は、あらためて、希代の千里眼、コダリ夫人への尽きせぬ讃辞を繰りかえすばかりだった……

*

「剣の童子」顕現というベルナール・フランクの体験談に誘発されて、思わず私はマルローゆかりの奇譚を長講釈してしまった。

フランク邸を辞してパリの宿に帰る道すがら、こう考えた。神といわないまでも、永遠ということをマルローは問いつづけた人である。アレクサンドロス大王の血染裂をめぐって彼はこう考えたことであろう。永遠は人間にはイメージできない。ただし、永遠を渇仰する宗教と芸術の間に、謎をとく一本の鍵がぶらさがっている。「偶然」と、それを呼ぶ、と。

一枚の古代裂の染みがアレクサンドロスの血であったかどうか、それ自体としては他愛のない話である。柳橋の料亭でストーリーを聞いた日本側美術館長たちが無関心だったのも無理はない。しかし、この染みは文様ではなく血痕であるということが透視され、それだけは事実だった。何よりそのことは、偶然への挑戦としての意味を持つものではなかろうか。マルローの関心はそこにあったに違いない。


全仏美術館総館長ジョルジュ・サールは、出来事の九年後に亡くなった。マルローはそれからさらに十年後に。

サールの歿後、マルローは、既述のごとく（第二巻　出遊篇）入院中に幽体離脱を体験した。血染裂の奇譚は、そのことを記述した小篇『ラザロ』の中で語られている。

同書には、この血染裂以前にも、別の一件で別の女性幻視者にサールとともに鑑定依頼したことが回顧されている。『人類の美術』の共編者、マルローとサールの共同異界探索は、よくよく半端ない──二〇一八年現在の流行語をかりるならば──ものだったと云わなければならない。

マルローの父フェルナンが死後の世界への好奇心から自殺したことや、二人の息子をもうけた伴侶ジョゼットが轢死する前夜、「三番目の妻」として夢枕に立ったことなども、初めてそこで言及された。「偶然以上のものが人生にはある」と彼は云い切っている。「超自然や超常現象に心を掻き乱されながら、なおも依然として自分が洞窟の前で逡巡しているのは、なにゆえであろうか？（……）私は超自然と邂逅したが、それを押し斥けてきた。しかるに、仏陀は、そこに立ち戻ってきたのだ」

　超自然を信ぜず、押し斥けるがゆえに、偶然は君臨する。ここから、次文明に向かって、こう問いは発せられたのであった――

「人間精神は、偶然の問題を、おそらく今後、真剣に、ということは正確に扱うようになるのではなかろうか。偶然は、いま始まったばかりなのだ」

＊

　ここから、マルローにとっては最終的に二つの辿る道が引かれていったと見うるであろう。

　一つは、「偶然」の問題を量子力学的な「不確定性」として捉える方向である。これを彼は、死後出版となった『無常の人間と文学』の中で徹底追尾した。最高難度の思想的遺言として同書は遺されている。

もう一つは、日本、である。

大患を脱してから、マルローは那智の滝の前に立つ運命にあった。「幻視者と超自然の間の深い朦朧たる関係は、どこか自分には芸術を思わせるものがある」と『ラザロ』で書いたマルローだったが、もう一つ、「自然」に留まらない那智の滝の示唆する世界を見いだしたのだ。かならずしも神と呼ばず、しかも「非時間」に属する世界を。

キリスト教的永遠に対して、それは、いかなる別個の概念を突きつけるものであろう。

この問題をフランスのアカデミズムの頂点で呈すべく招かれて、私は古巣パリに戻ってきたのだった。

第三章　王の侍講となりて

コレージュ・ド・フランスの演壇

人類史上初めて「ロゼッタ・ストーン」によるヒエログリフ解読をやってのけ、エジプト学の基礎を築いた若き天才、シャンポリオンの踊りあがるような彫像を入口に振り仰いだ瞬間、純粋なる自由研究の最高学府という矜恃を、ぴりりと感じた。

二十数年前に、出光佐三翁の懐刀、松見守道と、ルーヴル美術館のエジプト展示室を見歩きながら、万能の語学の天才少年シャンポリオンが一生涯かけて象形文字二十個を解読したことから全ては始まったのだと、驚きをこめて語り合ったことが思い出される。そのシャンポリオンも教授をつとめた天下のコレージュ・ド・フランスの演壇に、往年の失墜者が長い迷走の果てに呼ばれて立つと知ったら、どんなにか亡友は喜んだことであろう。

カルチエ・ラタンの散策者たちは、ソルボンヌの重々しい建物を見たあと、東方向へと足を伸ばし、マルスラン・ベルトロ広場の一角で、フランス革命前の様式のここの建築物を見ても、外見だけでは特に気を引かれることもなく通りすぎてしまうかもしれない。「国立特別高等教育機関」として位置づけられる同学の名声は、この国で、文部省にも属さざる別格官弊的な「特別」の位置づけをされてきた。たしかに、歴史的名声の教授陣が四百年にわたってここでその教壇に立ってきた。フランス革命史の著者、ジュール・ミシュレから、ポール・ヴァレリー、ベルグソンを経て、文化人類学者レヴィ＝ストロースに至るまで——。

アインシュタインも、一九二二年に、訪日に先立って、ここで講演を行っている。

私自身の資格については、フランク邸で査読を受けた折にこう聞かされていた。「報酬は高額ではありませんが、コレージュ・ド・フランス教授の資格ですから。正確には、インヴァイテッド・プロフェッサーです」と。当初、それは、日本語では客員教授を意味するものと私は受け取っていたが、誤解だったらしい。招聘教授と呼ぶようだ。

旧名を「王立コレージュ・ド・フランス」というごとく、同学は、十六世紀、フランス・ルネサンスの開明王として名高いフランソワ一世国王によって創建された。当時から「公開講座」を立て前としている。今日ただいまから、それがしは、「王の侍講」となるのかと、神妙な心持ちで、日本文明首座ベルナール・フランク教授の部屋へと向かった。

覚えているのは、これが創建以来のしきたりかと驚きつつ、胸に鎖をかけた廷吏、ついでフランク教授、ついで私という順序で、一列になって粛々と教室へと向かったことである。このややしゃちほこばった講師入場形式は、全五回をとおして変わることがなかった。

かなりゆったりした教室に、聴講者は、打ち見たところ、五，六十人といったところか。しかし、日本にざらにあるカルチャー・スクール並みの公開講座と違って、みな、ひとかどの人士といった雰囲気をかもしだしている。この印象が間違っていなかったことは、あとでとっくりと味わうこととなる。

最初にフランク教授から懇切をきわめた紹介があった。私について、「単なるマルローの識者ではなく、ある使命感をもってそう成った人」というのを聞いて、見る人は見ているのかと思った。日本ではそのように捉えられたことはない。

まさにその使命を果たすためにここに来ているのだとの実感をもって、たっぷり二時間ほど講じた。五日間の日程に合わせて内容を「序論」「芸術と死」「芸術と霊性」「芸術といのち」「いのちと宇宙」と五部に分けた中の、初日、「序論」である。

開口一番、こう云った。

《マルローは終生、日本が次文明においてある本質的役割を果たすであろうとの揺るぎなき確信を持っていました。その確信は、日本が戦後、アメリカの影響下にあろうとあるまいと、いささかも変わることはありませんでした》

ついで、

《これほどの確信の根拠は、ひとえにマルローが日本的霊性の表れとしての芸術の本質を見極めていたからこそ可能のことだったのです》

と述べ、日本的霊性の何たるかについて、西行の《なにごとの在《をは》しますかは知らねども……》の歌を引いて説明した。そこから、マルローの熊野・伊勢路の旅に触れて、おおむね次のように自分の思うところを語った。

——最後の訪日でマルローは、紀伊半島の熊野古道の奥ふかくに那智の滝を訪ね、そこに日本の女神アマテラスの顕現を見た。彼は、宇宙よりのコンフィデンス（秘託）を受けたのだ。

——ここからマルローは、ついで訪ねた伊勢内宮でさらに観想を深め、「伊勢とアインシュタインの相対性理論は収斂する」と喝破した。かつてプリンストン研究所でアインシュタインと会ったときに「この宇宙には明らかにある意味が存する」と聞かされ、「それがどのように人間とかかわりを持ちうるか」と反問して以来、一生の問いとして問いつづけてきた命題に解を得たということである。

——しかし、なぜ、この照明を日本で得たのであろうか。つまり、エルサレムでも、（インドの）エローラの洞窟でもなく。

——このことを理解するには、通常、歴史世界を舞台に「行動の作家」としてのみ理解されてきたマルローとは別に、出来事の地平線よりも無限に遠くを視つめる「求道者マルロー」があることを知らなければならない。

——この知られざるマルローと、知られざる日本との出遭いはいかなるものであったかを、私は語りたい。


ざっとこのような前置から入っていった。

日本人と違って西洋人はやたらと頷いたりしないから、しゃべっている間は聴衆の反応がどのようかはあまり目に見えない。それでも、波動として聞き手のエモーションは自ずと伝わってくるものだ。そのような手応えは十分あったと感じた。

はたせるかな、話しおわるとかなり大きな拍手が起こり、一人の女性が頬を紅潮させて演壇に駆け上ってきた。彼女は私の手を握り、こういうのだった。

「ムッシュー、素晴らしかったですわ。私はジュリヤール社の社長ですが、ぜひ、ご講演録は出版させていただきます」

ついで彼女はフランク氏のほうに向きなおり、

「お目出度うございます。これで、プロジェクトは発信です」

と告げた。

こっちには、「プロジェクト」も「発信」も何の意味やら分からない。が、こう聞くと、フランク氏は、ぱっと顔を輝かせた。

演壇から降りようとすると、なおも女社長は近寄ってきて、これは別件というふうに声を低めて云った。

「いま、別の出版社を興そうとしていますの。あなたが三島由紀夫について執筆をお引き受けくだされば、すぐに契約させていただきます」

いまにも小切手帳を取り出しそうな勢いでそう云われた。

もう二十年ほどまえ、私は、三島事件をきっかけに、『文芸フィガロ』紙や『NRF』に三島論を書いて注目されたが、さすが、そういうことまで出版社主は知っていたのだろうか。しかし、私は、取引に弱い。一瞬ためらっていると、他の人々が詰めかけてきて、さえぎられてしまった。フランク氏から最前の部屋で待つように云われ、「ミシマ」のことはそれきりとなった。

しばらくするとフランク氏は喜ばしげに戻ってきた。そして仕事机《ビユロー》の前に立つや、初めて事情を打ち明けてくれた。

「実は、こういうことがあったのです。コレージュ・ド・フランスでは、かねてから、ここで行われた名講義を叢書として出版する企画を立て、ジュリヤール社に話を持ちかけていたのですが、断られていました。ところが、今日は、社長みずから——さっき会った女性です——竹本さんの講義を聴きにやってきて、あのとおり感激し、叢書出版の決断に至ったのです。しかも、貴著『アンドレ・マルローと那智の滝』をコレージュ・ド・フランス叢書第一巻として出すこととなりました」

「ミッシング・リングが見いだされる」、という表現がある。フランス語では「ブークル・エ・ブークレー」（輪が輪になる）という。日本語の「大団円を得る」に当たるだろうか。

コレージュを出て、ひとり、夕暮のセーヌへと向かいながら、そんな大げさな表現が浮かんだ。エジプトでは「ナイルの水を飲んだ者はナイルに帰る」といわれる。そのように、きっと自分も、きょう、セーヌに帰ってきたのだ。

フランスで異邦人になったあと、日本でも異邦人になっていた。「番場の忠太郎」に自分を譬えたりもしてきた。見いだされたリングとは、「瞼の母」の日本だったのか、フランスだったのか……

それにしても、那智の滝をまえに「アマテラス……」とつぶやいたのは日本人ではなかったことの意味を、ずっと考えてきた。「マルローが教えてくれたんですよ」と山本健吉がＮＨＫの元日放送、『神としての風景』で云った言葉が甦ってくる。

熊野古道の旅は、フランス側によって、日本側招待主の意向に逆らって実現された。発想したのはベルナール・フランクであり、歩んだのはマルローだ。そこでマルローは「宇宙よりの秘託」を受けたのだと、コレージュで私が云い切ったとき、デカルト精神の信奉者であるこの国のエリートたちはそれを受け容れてくれた……

パリは、どこから歩いても、座標軸の中心のようなノートルダム大聖堂に行きつく。夕景に薔薇型窓《ロザス》を光らせる、その高い正面ファッサードをセーヌの流れごしに眺めながら、思った——。明日からが勝負だ、と。

マルロー——滝と千木よりの啓示

続く四日間の講義で私は展開した。

西洋の時間の奥から現れたごとき若きマルローが、つとに日本の武士道に心酔したのも尤《むべ》なるかなである、と述べた。一九三一年の初訪日のあとに出版された小説『人間の条件』において、中国の革命世界をドラマの舞台にしながらも本質的主題としたのは、共産主義イデオロギーではなく、武士の切腹にあらわれた死の超克の意義だった。そのマルローが、第二次大戦後、ド・ゴール麾下の文化大臣として威風堂々と日本を二度訪ね、最後には熊野古道に分け入って、究極の実相観入を得た。四十五年の長きにわたって、極東の一文明とのこれほどの深い邂逅をとげた旅人は稀であろう。作家、美術家、映画監督、冒険家、革命家、戦士（パイロット、戦車隊員）、レジスタンス指揮官、国家要人と、七変化をも八変化をもとげて、その人生は実に「世紀の伝説」と讃えられるほどの眩いものとなったが、ひるがえって、アジアから見たとき、これらの変身のかげに一貫して「求道者」マルローがあったことが際だって浮かびあがってくる。どこよりも、日本で、このことは究極の意義をおびるに至った。

那智の滝との出逢いがその啓示の至高の瞬間にほかならない。そのことはフランスではほとんど知られていない。証人としてその目撃談を私に語らせようとフランク氏は望んだのであろう。従ってそこのくだりを私は四日目に講義の要として織りこんで、こう語った。

那智の滝の前にたたずむマルロー。それが我が胸に刻まれた、マルローと日本の出遭いの究極の姿であります。しかし、畢竟《ひっきょう》するに、何が何とそこで出遭ったのでありましょうか。

杉の巨木の間に延びる、長い長い石段が滝壺のかたへと下り、その轟音は、まだはるか下方から聞こえてきます。が、マルローに、いささかの躊躇もありませんでした。左手を手すりに、右手は伴侶の肩に掛けて、レジスタンス活動で受けた銃傷の跡がまだ痛むのか、左足を引きずりぎみに、一歩々々、下っていくのでした。ようやく石段を下りきったところで、かたわらに呻くような声を私は聞きました。

「自分は、めったに自然に感動させられたことはなかったが……」

しばし立ち止まったその人の目は、真っ正面に、大地をとよもして落下する瀑布に釘付けになったまま、足は進もうともしなかったのです。

そして、やおら、そこから滝壺のまえに飛沫を浴びて立つ鳥居のほうへと近づいていきました。言葉が洩れます。

「シャトーブリヤンは、アメリカで見たナイヤガラの滝のことを書いているが、しかし、ダムというものが出来たおかげで、そんなものは珍しくもなくなってしまった。ヨーロッパには、フラゴナールが描いた滝とか、ティボリの泉とかがあるけれど、みんなロマンチックなアクセサリーにすぎない。だが、この滝だけは、まったく別なのだ……」

そう云いながら、そして「手のレイアウト」のしぐさを繰りかえしながら、少しずつ後すざりして、最後にある地点でぴたりと歩みを止め、こう云いました。

「ここが滝を見るのに最良の場所だ」

ところが、そこは、ちょうど記念写真師の立てた三脚の前でしたので、一同、大笑いでした。

しかるに、マルローひとりは、笑わなかったのです。

反対に、その表情は、泣かんばかりに変化していきました。ついに右手を滝のほうへと差し伸べ、こう云ったのです。

「アマテラス……」

と。

熊野路のこの出来事は、二日後に伊勢路でマルローの身に起こった出来事へとオーバーラップする。那智の滝の啓示は、それだけでも日仏精神史上の一事件として誌されるに値するであろう。随行者として私はリアルタイムに毎日新聞に「マルローは那智の滝に最も感動した」と題する記事を掲げたが、その観点は今も変わらない。続く伊勢内宮での啓示は、いわば一貫した巡礼の古道の最後の出来事と見るべきで、別々の事件ではない。

後者についてはこう述べた。

伊勢内宮の正殿のまえに立つとマルローは、一言も発せずに上方に視線を投げ、陽にきらめく千木が交叉するあたりをじっと視つめていました。

彼が何も云わないのは、変だ……

私はだんだんと不安になってきました。

感動すれば語り、語ればかならず感動しているマルローが、日本の中心的神域のただなかに立って無言でいるはずがありません。「日本のアクロポリス」と、つとにブルーノ・タウトやトインビーが讃えてきた伊勢神宮で、もしもマルローが何も感じてくれなかったとしたらと考えて、私は、焦慮とも何ともいえない思いにだんだんと駆られていきました。マルローが無反応だったとしても、もちろん案内役に何の責任もありますまい。そう考えるほうが変です。が、そのときの私は、それほどまでに……、あえて大げさにいえば、日本の伝統の重圧が両肩にのしかかってくるように感じていたのでした。

　ここでは神殿は、ヨーロッパの大聖堂と違って、重なり合った四つの瑞垣《みずがき》によってほとんど視界から閉ざされています。そのため、内部の神聖空間から閉め出されたような格好で本当にマルローに伊勢を見せたといえるのだろうか、そんなことまで考えて私はマルロー夫妻を古殿地のほうにいざなっていきました。案内の神官が意外にも横柄なので、そんなのは無視して、そこからは自分が先に立って。

　そこは、存在と空無の併存する真に神道的霊性の素晴らしい空間です。二十年に一度のしきたりによって、われわれの参拝の前年、一九七三年に再建されたばかりの正殿の敷地と隣接して、次の遷宮でそれと入れ替わって建てられる古殿地の敷地が、シンボリックな心御柱一本を残して、月下のわだつみのごとき白沙を広げています。内心、私には、ここを見せたならきっとマルローは何かを感じてくれるだろうとの心頼みがありました。森々たる伊勢の杜に囲まれ、鳥影一つ過ぎない鏡のごときその矩形空間の縁を、マルローと、ソフィー・ド・ヴィルモラン、衣奈多喜男と、私の四人が黙々と歩いていきます。しかし、相変わらずマルローは何も云いません。私は、心中、絶望が広がっていくのを感じていました。

　いまや、清冽な五十鈴川に添って、もとの道を引きかえしはじめます。「なかば煌めき、なかば神秘的……」とクローデルが書いた、あの瀬音高き太古の流れです。

どの辺まで来たときでしょうか、不意にマルローは私の左肩に手を置いて、「見たまえ」と後ろを振り返らせました。私は振り返りました。われわれが通ってきたばかりの道の上方を横切って、一本の松の枝が突き伸びています。

「いいかね」とマルローはいうのでした。「あの枝は、わざと、ああしてあるんだよ」

何を云おうとしているのか、とんと分かりません。が、言葉は続きました。

「枝のブリジュール（断続線）が、かなたの森の杉の木の垂直軸を際立たせているのだ」

いかにも、横たわる一本の松の枝のかなたには、さっき仰ぎ見た正殿の背景に、千古の杉の巨木の群れが真っ直ぐに皐空《さつきぞら》へとそそり立っています。

そうか……。いくぶんかマルローの意図が読めてきました。しかし、「ブリジュール」という語彙にひっかかって、マルローの翻訳者としての疑問が新たに湧いてきました。なおも困惑の思いで私は反問しました。

「でも、あなたは、雪舟の『冬景山水図』の中に、すでにそのような垂直軸を発見していらしたではありませんか。そしてそこに浮世絵のアラベスクを引き裂く線――ブリジュール――を見いだしておられたのでは……」

「ただし」とマルローはすぐに応じました。「雪舟のあの線は、それほど純粋なものではないのだよ。つまり、『那智滝図』に見るような、ね」

私には、おぼろげながら、いま現にマルローが抱懐しつつある思考プロセスが読めてきました。東京の根津美術館でまず彼は『那智滝図』を見ています。そのとき、すでに、「アマテラス……」と絶句しています。ついで熊野路で本物の滝のまえに立ち、脳裡によみがえる滝の絵と比較しながら、太陽女神の顕現を追体験し、自然の奥へと引き入れられる強烈な体験を得たに違いありません。

そのとき。突然、堰を切ったように彼はしゃべりはじめたのです。

しかし、悲しいかな、もはや私にはそれはほとんど理解不可能でした。

あゝ、録音機を持ってくればよかったと、初めて痛切に後悔がこみあげてきました。マルローとの対話では、いつも録音機を使っていましたから。ただし、今度ばかりは絶対に機械に頼るまいとひそかに決意するところがあったのです。機械を使えば、この巡礼の古道で必ずやマルローの身に起こるであろう——なぜかそう確信されていました——何事か決定的に重要な事柄を瀆《けが》すことになるのではと恐れていました。そもそも私は「リポーター」にはなりたくなかった。何かしら別の役割を果たしたいと念ずるものがあったのです。

そして実際に、そのときまでは、メモだけですべて巧く行っていたのです。それがこの瞬間だけは別でした。かくも予想し、かつ予想外であった至高の一瞬が到来するや、マルローの言葉は、五旬節《ペンテコステ》の朝の異言さながらに分からなくなってしまったのです。

まだまだ俺の語学力では駄目なのかと、がくんとしました。しかし、それほどまでに話し手のトランス状態にこちらも感染してしまっていたことも事実でした。マルローの言葉はなおも滝のごとく私の頭上に落ちてきます。語りに語りながら彼の肩はぐいぐいと私の肩を押し、二人は道からはずれて歩いていきました。五十鈴川の河原を、瀬音のほうへと。他の二人の同行者——ソフィーと衣奈多喜男——を道中に残して。

まごうことなく、あの長い沈黙の間にマルローは何事か「コンフィデンス」を受けたに相違ありません。かろうじて私が捉えたのは、切れ切れの次のような言葉だけでした。

《光だ……

日本には、洞窟なきサクレが再現する瞬間がある……

滝も、杉の巨木も、みな同じイメージ、太陽のサクレだ……》

そして、しばらくして、

《伊勢と、アインシュタインの相対性理論は、収斂する、する……》

一気に、ここまで私は語り、一息入れた。

水差しの水を飲みながら、場内を一瞥する。

年来の友にして『日本待望論』の著者、オリヴィエ・ジェルマントマ君の顔がみえる。ほかに、ゴーリスト、マルロージアン（マルロー研究家）の知己が、ちらほら。あとは、きちっとした身なりの人々。中に、閨秀作家のマルティーヌ・ド・クールセル夫人を見いだして、どきりとした。ド・ゴールとともにフランスをヒトラーの手から救った歴史的英雄、クールセル将軍の未亡人で、トルストイ研究の権威だ。知性と美貌の揃った典型的なフランスの貴婦人で、彼女を前にすると、不思議に私はいつも胸のときめきを覚えたものだった。

ほかに、異常な熱心さでこちらを視つめている高齢の紳士が一人、気になったが、『日本――その理解の鍵』の著者、ルネ・セルヴォワーズ大使だったかもしれない。これを機縁に、のちに深い縁が生じた。

そのほか、さらに、どんな人士がどう聴き、どう受けとっているかは定かでない。が、共感の気配は無言のうちに伝わってくる。

ともあれ、語り部としての役割の山場は、きょう、越えた。明日の最終講義でどう締めくくるかである。

L体験

シャンポリオンの銅像に敬礼して、今日が最終日、コレージュ・ド・フランスの門をくぐる。

廷吏、フランク教授、私と、三人一列になっての入場儀式にも馴れた。見渡すと、受講者はだいぶ増えている。知られざるマルローと知られざる日本との出遭いに、回を追って好奇心は高まってきたものか。

マルロー歿して十二年、問題を照明するのに十分な間合いである。『人間の条件』から『非時間の世界』まで、主要作品をとおしてマルローの日本観がどう深化してきたかを、ほぼ時系列的に分析してきた。深化、であって、変化ではない。比類なき直観をもってこの思想家は最初から問題の本質を射貫いていたからだ。

大胆な云いかたをすれば、それは、「死の存在しない世界」についての問いであったといえよう。日本を相手にすることで明かとなる命題なのです——と、私は云い切った。武士の切腹の行為にマルローが憧憬したのも、それを「死ぬ」こととは異なる「死の超克」として捉えたからであった。『人間の条件』でそのように問題提起したときから、三島由紀夫の自刃に反応したときまで、この見かたは一貫して変わることがなかった。

変わることはなく、ただ、年とともに形而上学的に深まっていった。つねに、「空想美術館」の鏡に照らし合わせながら。最晩年においては、まごうことなく『那智滝図』の日本的垂直性が最高の思想的作因《アクチフ》となった。

日本的霊性においては、彼岸と此岸は西洋のようにセパレートされていないがゆえに、である。それを、キリスト教的視点から、感傷的、非宗教的と見る時代は過ぎた。「死の存在しない世界」とは、もはや「彼岸」と同じではない。死んで向こう岸へ行く行かないの問題ではない。それは、何らかの領域である。いかなる領域かと、マルローの問いは螺旋的深化をとげていった。

つとに一九三三年、『人間の条件』をもってマルローは、西洋人としてはおそらく初めてそのような領域がありうると問題提起した。同書に、「蒲《かま》画伯」という日本人画家を登場させ、この水墨画家にこう云わせているのだ。

《人間は死とも通じることができる。至難のわざだが、それこそは人生の意義というべきでしょう》と。

これを、マルロー日本観の謂わば「エッセンス1」として捉えれば、「エッセンス2」は、このような実相を「記号」として伝えるところに日本芸術の意義ありと見たことであろう。すなわち、西洋の近代絵画のように、作品そのものが創作の目的となることはない。「死とも通じること」に向かって射放たれた、それは一本の矢なのであった。

藤原隆信の『重盛像』に対するマルローの全生涯的こだわりは、光源に向かって飛びつづけるこの矢を視つめることだった。

が、イカロスのごとくそこで燃えつきるために、ではない。

隆信の肖像画から、雪舟をとおって、玉堂の山水画に至るまで、究極のセレニテを求めて辿ってきたあと、点睛の一点、『那智滝図』に行きつく。これぞ、至高の記号であった。

私は、最後の来日中のマルローが国宝『那智滝図』の前に立ったときから、本物の滝の前に立つ瞬間までを目撃する運命に置かれてきた。不思議なことに、来日に先立って彼は、「牧渓ヲ見タシ」と打電してきていた。いまさら牧渓を見たがるとはと、そのとき奇異に感じたものだったが、根津美術館で謎は解けた。そこで彼は、まず、『那智滝図』に最高の讃辞をささげ――「掛軸が広げられるや私はアマテラスと云った」(『非時間の世界』)――ついで、牧渓の『漁村夕景図』と並べて比較鑑賞したのである。日中の二大名作をまえに、「滝図が牧渓に気圧されるだろうと思ったが、どうして滝のほうがずっと強い」と結論したのだ。

この瞬間、中国から日本へと、秤の分銅は決定的に傾いたといえよう。それは、中国から日本を切り離す文明の接線の見極めでもあった。烟霞《えんか》ひょうびょうたる江南風景は、中国美術にもあれば日本にもある。「セレニテ」が常にその至高価値であった。が、『那智滝図』には、それをも突き抜ける垂直軸があると見た。そのとき、かくて、マルローの中で、生涯の嘆賞の的たる『重盛像』と、最後の発見、『那智滝図』は一繋がりとなったのである……

登山者が道標に導かれて山頂へと向かうように、人生においても、幻のように立ち現れる幾つかの標《しるべ》が、いのちの極みへと導いていく。それを偶然、必然と呼びわけるのは、もはや虚しいわざではなかろうか。『那智滝図』を見たのはマルローであり、本物の那智の滝を選んだのはフランク教授である。そこに申し合わせがあったわけではない。では、何が、滝へと、飛ぶ矢を射放ったのか……

私がここまで語ると、教室内は粛然と襟を正した。

ここぞと、声を強めた。

問題は、マルローにとっての滝の啓示がいかなる意義を持つかということです、と。フランスにとって、また日本にとって——。

日仏間に的確にその意義をとらえて解明した人は二人しかいませんとして、その名を挙げた。フランスではクロード・タンヌリー氏、日本では山本健吉氏、この両氏である、と。

タンヌリーは『絶対的不可知論者マルロー』、山本健吉は『いのちとかたち』という、それぞれ畢生の大作をもって問題を徹底究明した。私は両氏とも面識を持ったが、いずれもきわめて純粋な詩精神の評論家という点で共通している。山本健吉の場合は、日本における芭蕉研究の第一人者としての透徹した思索が滝のミステリー解明に自ずと貢献した——と指摘した。

マルローは、滝の啓示を、例の簡潔表現によって、『非時間の世界』で次のごとく要約している。

《以後、外観は、不可見（l'inintelligibilité）となった》と。

那智の滝は只の水量ではない。ここでは、見える世界は、見えない世界に劣らず神秘である——との意味であろうか。

この意味について最も深く考えたのが、フランス側の識者の中ではクロード・タンヌリーだった。

タンヌリーは云う。

人類美術への観想をとおしてマルローは、終始、二つの極の間に引き裂かれてきた。現実世界、または「外観」の世界と、かならずしも神と呼ばれずしてしかも「存在する」非外観的世界との間に――。両者は不二一体であると悟ったのは、一九七四年、日本においてである。

すなわち、那智の滝をまえにマルローは、それまで概念としてのみ操作してきた「内的実在」を、実際に生きたのだ。

タンヌリーは、マルローのサトリが、マルロー一個人のものであることをこえて現代文明を前進せしめる転回点となるであろうと、見抜いていた。

そのことは、『非時間の世界』の日本美術論の章に、この上なく美しい詞藻として結実していると、タンヌリーは讃美する。すなわち、人間のいとなみをも自然のはたらきをもはるかに越え、神々さえもそこから生まれた超絶的世界――《包括世界《ラングロバン》》――は在、るとの確信に、マルローは到達した、と。

それこそは、「新たなる霊性の復活祭の讃美歌」にほかならない、と。

「このような霊性復興の次文明が目ざすものは」とタンヌリーは結語する。「人間と宇宙の和解である。アルベール・カミュが待望したこの和解を、マルローは自ら生きたのだ……」


次に、山本健吉について私はこう語った。

滝をまえにしてマルローが徐々に後すざりした光景に、芭蕉研究家は注目する。

「後すざりしながら、ここが滝を見るのに最適の場だと云った地点がちょうど記念撮影師の立てた三脚のまえだったので、一同は大笑いした」と私が『藝術新潮』に書いた一文（「マルローと共に日本美術を見る」）に健吉は注目し、名著『いのちとかたち』でこう指摘する。

「……後しざりするほど高くなり、ほどよい高さと遠さから全貌を眺めわたすことが出来る。だがマルロオが後退したのは、ただそれだけの理由ではなさそうだ」

ではどんな理由からかということについて、健吉は、マルローの「藤原隆信論」（『藝術新潮』に拙訳掲載）を引用して、こういうのである。

マルローによると、アジアの藝術家たちの目には、「もろもろの偉大な作品からは《サクレ》のそれにも似た《結界》（プロテクチブ・ゾーン）が垂れこめてみえる」ことを忘れてはならぬ、という。この種の藝術作品はすべて、「距離を置いて人をたたずましめる。触れるなかれ、が、なお近寄れ、と……」

ここから健吉は、「この後退という考えが、自然に彼を滝の前から後退させたのかと思う」と推測し、ついでこう云い切るのだ。

……マルローが距離を量ろうとするのは、ある聖なる後光が霧のように立ち籠めてくる、近過ぎずまた遠過ぎない、ある距離を求めてである。言いかえれば、「その本質そのものによって護持された遠さ」である。

「その本質そのものによって護持された遠さ」……

これは、『那智滝図』ではなく、『重盛像』をめぐって云われた名言である。だが、どちらも同じ「オーラ＝後光」の中にあると見られていると、いみじくも健吉は受けとっている。そしてこう結語するのだ。

マルローにとって那智滝は、単なる自然ではなくて、藝術に無限に近いものだった。しかもそれは、ある距離を置いて人をたたずましめる聖なるもの、日本人が神と称している超自然の力ある生命だった。

*

連続講義は終わった。

結語を述べるに先立って私は一本の短篇動画を上映した。演題と同じく「アンドレ・マルローと那智の滝」と銘打っている。

山本健吉と私が出演し、NHKで製作放映された『神としての風景』というドキュメンタリーを元に、フランス語で私みずからナレーションを吹きこんだリメーク版である。そこに、決定的瞬間をとらえた一枚の写真を織りこんだ。長い石段を降りきって初めてマルローが那智の滝を遠望したときの光景である。向かって左脇に私とソフィー・ド・ヴィルモランも写っている。マルローの腹の上に、奇妙な一個の楕円刑の白球がくっきりと浮かんでいる。背後には、覆いかぶさるばかりにびっしりと並び立つ杉の巨木が、下方から見上げるようなアングルから撮った効果であろう、大聖堂の穹窿《ネフ》さながら、すぼまりつつ上方へと聳え立ち、逆に空中から眩い光線が一直線にマルローの頭上に落ちてきて、それが彼の頭上と肩を照らし、胸のネクタイのちょうど真下に奇妙な白球を結露せしめている。しかも、さらに驚くべきことに、落下する光芒は、写真上方の半分以上の空間を満たして大光球をつくり、それがはからずも天然の薔薇《ロザス》型窓さながらに、輪形の光線を煌々と人物の上方に射放っているのである。(写真)

朝日新聞社の専属写真家、佐久間陽三が撮った一点である。感動のあまり私は同社にまで赴いて同氏と会ったところ、そんなに喜んでくれるならと寛大にもネガを提供してくださった。驚いたことに、35ミリの小さな白黒フィルムなのに、大きなパネルに引き伸ばしても構成はいささかも崩れることがない。この引き伸ばし写真をパンして私は撮影し、「マルローと那智の滝」動画の中に織りこんだのだ。

ここから、滝の実景へとオーバーラップした。

棚引く霧のなか、天地をつらぬいて落下する瀑布が映し出され、轟々たる響きが満場を圧した。マルローも云ったように、西洋のロマンチックな恋人たちの散策の背景ではとても考えられないような、目もくらむばかりの高さの滝口からの垂直落下であるから、映像とはいえ、受講者たちは度肝を抜かれたようであった。

カメラが徐々に退くと、模糊たる霧と一条の滝の溶け合う山容の全体が、一幅の水墨

「あらゆる雲は同じ空の中へと溶けゆき(…)、この世界は収斂である」。1974年5月、マルローは那智の滝と伊勢内宮で至高の実相観入を得た(94頁)——1. 古杉に囲まれ、長い階段を下りきって滝を仰ぐ。撮影 佐久間陽三(朝日新聞社)

2. 大光耀の中。この写真は仏・独で驚嘆された。パリ、ド・ゴール研究所に2点常陳。

3

3-4. 「ここが千木を仰ぐのに最高の地点だ…」マルロー、同行のソフィーに指示。伊勢内宮にて。著者撮影。

の傑作のごとく浮かびあがり、と思うと、その奥から、低い朗吟の声が聞こえてくる。

　われは感ず
　わが深き夕べの
　おぼろげに星屑を撒き散らすを
　(Je sens que mon profond soir vaguement s'étoier.)

ヴィクトール・ユゴーの詩句を口ずさむマルローの声である。

一九七四年六月一日、これから彼が日本を発って永久に帰国の途に就こうとする朝、東京のホテル・オークラの部屋で那智の滝行を語ってもらったときの録音である。最初、この詩句を彼が口ずさむのを聞いたのは、京都の日本料亭で地唄舞を観た宵のことだった。私はそれに感銘し、日本での最後の対話の折に、あえて懇望して吟じてもらったのだ。

滝、滝といわれても想像がつかなかったであろうフランス人受講者たちは、初めてその幽邃なる姿をかいまみ、そこから響き出るユゴーの詩句を聞いて理解した——と思う。

映写を終えて、陶然たる気が会場に満ちるなか、私は最後にもういちど口を開いた。

それは、云おうか云うまいかと、前夜まで躊躇したある事柄についてだった。マルローの啓示体験の唯一の目撃者となった自分の役どころについて、かねてそれは「リポーターではない」と同行記に明言してきていた。では何なのかとなると、なかなか言葉には出なかった。少なくとも、日本においては――。

パリの空気がそれを決心させてくれた。

前夜、改めて思案した結果、千里の道を遠しとせず駆けつけた以上、たとえ誤解されようとも本当に自分が信じていることを云わなければ何も云ったことにはならないのだ、と自分に云い聞かせた。講演とはそういうものである。

そこで、あえてこのように云って、結びとした。

日本の巡礼の古道の奥ふかくで起こった「L」体験――マルローを打った「光＝リュミエール」体験をそう呼びましょう――は、かつて「ダマスコの道」で、はるかにより荒々しい形で生じた、あの聖書の大事件のごとく、歴史を変えるところまで行き着くでありましょうか？

はたしてわれわれはそれを見うるでしょうか？

ともあれ、かりにパウロの軍団に加わった無名の一青年があったとして、その奇蹟を目撃したならば後世にそれを伝えたいと望んだであろうように、私も、マルローの体験の目撃者としてそれをフランスに伝えたい一心から、ここに皆様のまえに立ったのであります。

長い、熱烈な拍手に、ヨーロッパの琴線に触れたと思った。やはり云い切ってよかったと、胸中の思いを噛みしめながら、演壇のまえに踏み出て一礼した。

若きド・ゴールの恋

連続講義は終わったが、講義録出版を急ぎたいというコレージュ・ド・フランス側の要請にこたえて帰国を延期し、原稿の整理に取りかかった。フランク教授はたいそう喜びようで、コレージュの仕事をしてくれるのだからお世話するのは当然といって、ホテルを引き払ってコレージュの施設に引き移るよう進んで取りはからってくれた。

そこは、「ユゴーの館」という立派な建物だった。セーヌ左岸、長々と一直線に伸びるユニヴェルシテ街に位置している。閑雅なその通りを私は知っていた。だいぶ離れた先にマルローの娘、フロランスが住んでいて、二、三度訪ねたことがあった。フロランス邸の玄関は、彼女と親友の間柄の女流作家、フランソワーズ・サガンの玄関と向かい合っていた。

「ユゴーの館」に手頃なアパルトマンをあたえられ、パリの文具店で買った小さなタイプライターに向かって終日かたかたとキーをたたく生活が始まった。

到着日、舎監が挨拶に現れて、こんなエピソードを聞かせてくれた。戦時下、ここは独軍に接収されていたが、一人の隊長から「ユゴー」とはどんな綴り字かと聞かれた。ヴィクトール・ユゴーのそれ（Hugo）よりもレットル（字）が一つ多いのですと答えると、相手は、えゝっ！　あの大文豪よりもっとレットルのある人がいたんですかと驚いたという。こちらは綴り字の「T」が一つ多いという意味で云ったにすぎないが、相手はそれを「レットル＝教養」の意味に受けとったのだとか。

おそらくここの宿泊者たちが誰でも聞かされるであろう一つ噺を、私も聞かされたらしい。

舎監は、引退官吏といった渋い人柄で、顔を会わすたびに、挨拶がわりに、「トラヴァイエー」（仕事しなさいよ）と云われるのには閉口した。そう云って督励しているつもりらしい。が、あるとき、陛下のその住居を訪ねると、素晴らしい合奏が聞こえてきて、思わず聞き耳を立てた。ドアを開けると、奥さんや娘さんたちと一緒に、四重奏だか五重奏だかを演奏中だった。ルノワールの絵のような雰囲気の好ましい音楽一家ではあった。

「レットル」が一つ多い教養人に小生も格上げされた気分で、云われたとおり「トラヴァイエー」に励んだ。滞在は年明けまで、一ヶ月間の予定である。

一週間後に、コレージュ学長によるメダル授与式が行われるとのことで、マルロー一家をはじめ諸方に公式招待状が発せられた。

大勢の人前で話をすると、それが縁で、まま、思わぬ出来事が生ずるものだ。そのときもこんな面白いことがあった。

聴衆の中に、ベネディクト・ニオグレという綺麗なお嬢さんがいた。オリヴィエ・ジェルマントマ君の同僚で、日本語を勉強し、来日して禅寺に入りたいというので、その世話をしたことから私とは馴染みだった。彼女から電話があって、叔父が最終講義を拝聴して感激し、ぜひお招きしたがっていますという。そこで昼餐にお呼ばれした。紹介された人物は、ジャン・ド・ディアヌー氏という外交官だった。講義の結語に触れた「ダマスコの道」のことで、あるものをお見せしたいとて、食後に別室に案内された。そこには、正面の壁面いっぱいに油絵の超大作が架かっていた。

「あの奇蹟を描いたものですよ」

という。

ある物語を連続的に一枚の絵に描きこむ手法で、右上からうねうねと始まり、道が蛇行して最後は左側手前で留まっている。おびただしい数の人々が描かれている。最初のほうは兵士らが無辜の市民に暴力を振るって引き立てている光景で、泣き叫ぶ女子供まで拉致されようとしている。途中から長い軍団が現れ、周囲に残虐行為を広げながら延々とうねって、最後は左側前景の先頭集団に至る。彼らの前方には、遠目に、ある市街が。

先頭集団の中に、白い布で目を覆った男がいる。両手を広げ、よろめき歩くその姿を、両側から、二三の兵士がささえている。

彼らの上方に雲が漂い、そこから目隠しの男に眩い光がほとばしっている。光芒の中に、後光のさした人物が半身をのぞかせ、指をあげて、男に向かって何事か云っているらしい。

「ダマスコの道のサウロ、ですね」

と私は云った。

聖書「使徒行伝」に伝えられる最も驚愕すべき出来事だ。

「ウイ」とディアヌー氏は答えた。「ムッシュー竹本の講義のフィナーレを聞いて、これはどうしてもお見せしなくてはと思ったものですから」

「私は、若いころ、ヨーロッパ中の多くの美術館を回ってキリスト教芸術を見てきましたが、この主題でこれほどの大作はお目にかかったことがありません」

これはお世辞ではなかった。

二十数年前、松見守道と一緒に、午前に一つ、午後に一つと綿密に計画して、各国の美術館行脚をして回り、西洋美術の大半が神話と宗教の題材に拠っていることに驚いたものだった。わけても「奇蹟」は、芸術的エモーションを掻き立てるうえの絶好の主題となっている。「キリスト復活」が第一、「ダマスコの道」はそれに継ぐのではなかろうか。

改めて画面を眺める。

事件はエルサレムからダマスコへの途上において起こった。ゴルゴタの丘でイエスが処刑されてから何年目かのことであろう。熱心なユダヤ教信者でありローマ市民権を持ったサウロは、聖ステファノの処刑にも同意したほどの確信的キリスト教徒迫害者だった。大祭司のお墨付きをもらって、ダマスコのキリスト教徒殲滅のため、軍団を率いて勇躍進軍したのであったが、ダマスコの近傍に至ったとき、天からの光に打たれて倒れ伏した。

——サウロ、サウロ、なにゆえ我を迫害するか。

との声を聞き、

——主よ、御身は誰《た》ぞ？

と問うと、こう声は答えた。

——われは、汝の迫害するイエスなり。

サウロはダマスコに着いたが、三日間、盲目のままだった。

そして第二の不思議が起こる。それによって盲人は目が開くとともにキリスト教に回心し、「サウロ」をギリシア名「パウロ」と改め、異国から異国へと広大な地域に福音を述べ伝え、西紀三〇年代に皇帝ネロの時代にローマで殉教した。

その回心に至るまえの劇的出来事が、絵巻風の連続画としてここに活写されているのだった。「ダマスコの道のサウロ」とも「聖パウロの回心」とも呼ばれるキリスト教史上の大事件である。

もちろん、これは、「マルロー那智の滝の啓示」とは何の関係もない。ただ、日本で講義原稿を書きながら私はこう想像したのだった――盲《めし》いたるサウロの側近の一青年が、もし生き延びて語り部となったなら、どうであったろうかと。

突飛な妄想と笑われようが、「熊野古道のマルロー」の随行者としての我が身の役どころを考えたとき、ついそんなことを考えてしまった。そうしたことを口走っていいものかと、実は前夜まで、いや、演壇上で最後の最後まで思い悩んだのだが、思い切って云ってしまった。ところが、かえってそれが感動を喚起した。日本では通用しない比喩である。ここは西洋だとの思いを新たにした。現にこうして一家の秘宝のような「ダマスコの道」の古画まで、わざわざ呼んで見せてくれる人が現れた……


秘密といえば、ベネディクト嬢の叔父は、こんなエピソードをも語ってくれた。お宝拝見のあと、サロンでこう云い出したのだ。

「若きド・ゴールが恋をしまして……」

「?」

「第一次大戦後、少尉に任官したばかりのころです。相手は私の祖母でした。結婚を申しこんだのですが、祖母の父から断られました」

私は驚いて叫んだ。

「え、何ですって。いったい、どんな理由で?」

にやりと笑って、相手は答えたものだった。

「彼には未来がない、というのです」

シャルル・ド・ゴールの失恋！　思わぬ秘話のおまけを聞かされたものだ。

歴史的英雄でさえ、恋はままならない。世の恋する若者たちよ、ゆめ、失望するなかれ。

おっと、書き忘れるところだった。

旧友オリヴィエ君は、それから暫くしてベネディクト嬢と結婚した。二人の間に生まれた二人の女児は、いまを盛りの「花咲ける乙女たち」となった。さもありなん。若きド・ゴールを夢中にさせた娘さんの血を引いているのだから。

先帝崩御

生きているとは、あるとき、ある日付が格別の意味を持つことになると知らずにいるということであろうか。

年開けて一九八九年（昭和六十四年）一月七日がそのような日になるとも知らず、そのとき、ちょうど私は、天駆けていた——パリ発、南回り帰国便の日航機に乗って。

「クリュブ」（クラブ）という席にいた。パリの関係窓口で搭乗券を支給されたとき、「共和国吏員」の黒人女性がそれを手渡しながら、「クリュブだなんて、驚きだわ」と云った意味が、搭乗してわかった。ファーストクラスに続く上席だったのだ。たしかに身分不相応の待遇なのであろう。いずれにせよ、ベルナール・フランク氏の精一杯の好意の表れと感じた。

ともあれ、ミッション完了で、日出づる国に帰還とはなった。ド・ゴール空港から離陸するや、またたくまに雲表を突き抜け、真横から差し入る朝日を浴びて飛翔する機内で、熱いカフェを啜りながら、安堵とともに、ある自責の念をも感じていた。マルローの那智滝行に同行して以後の、失われた時は見いだされた。が、それまでに十四年もかかった。その間、天地の間を落下する那智の滝の光から身を離して、自分はただ岸辺をさまよってきたということはないであろうか。

日本の神話的ルーツの光源と、選ばれた碧眼の旅人マルローとの出遭いという現代の奇蹟を、その出自の国に呼ばれて私は語り部として語ってきた。有形無形の反響がさまざまに寄せられた。最終講義のあとの質疑応答で一人だけ手が上がったが、それはフリーメーソンの大物だと後でフランク氏から聞かされた。質問は、《諸文明の興亡をつらぬいて不変の人間的価値ありや》というシュペングラー的課題にマルローはどう答えたか、というものだったが、これに対する私の返答が堂に云っていたとフランク氏から評価された。ほかにも受講者の中にルネ・セルヴォワーズ氏という元大使――『日本――その理解の鍵』の著者――が混じっていたが、十ヶ月後、チャーチルの創始した「ヨーロッパ会議」主宰のある重要な国際会議の基調講演者としてリスボンに招待されることとなった。

クリスマス間近の日にコレージュ・ド・フランス章の授与式があった。ずっしりと重い銅メダルで、フランソワ一世の横顔が浮彫にされている。縁に私の名の刻銘があった。フランス・ルネサンスの開明王の「侍講」になったという意味らしい。

その場に駆けつけてくれた人々の顔が目に浮かぶ。現存するマルローの二人の伴侶までが臨席してくれた。一人は、最後のマルロー来日に同行したソフィー・ド・ヴィルモラン。彼女は、既述のごとく、ヴェリエールに住むジャンヌ・ダルク家末裔の一員である。もう一人は、それに先立って、文化大臣マルローの三度目の来日の折に正夫人として同行したマドレーヌで、ピアニストとして著名だ。目にみえず火花を散らす愛人と正妻が、揃って祝福してくれた。もっとも、鉢合わせしないように、そこはフランス式エレガンスをもって、巧みに時差調整されていたけれども。

1

2

3

1.　コレージュ・ド・フランスで、講義冒頭に、ベルナール・フランク首座より、「講師は使命感をもってマルロー研究を達成した」と紹介。
2.　学長によるメダル授与式。左端、臨席したマドレーヌ・マルロー夫人。
3.　『アンドレ・マルローと那智の滝』コレージュ・ド・フランス叢書としてジュリヤール社より出版。

ソフィーには、彼女の「お小姓」と渾名される若き熱烈なマルロー・ファンのサン＝シュロン兄弟――マルローが可愛がってヴェリエールの館に住まわせた――が神妙にエスコートし、マドレーヌ夫人のほうは、息子のアランと、孫たちまでも賑々しく引き連れて。こんなことは稀なので、周囲は驚きを隠さなかった。

錦上華をそえるマルロー一家の臨席で、授与式につづくレセプションは光彩を添えられた。それよりも私は、我がことのように喜ぶ日本文明首座フランク教授の笑みを見るだけで、十分に幸せだった。

その夜、「ユゴーの館」から、父に手紙を書いた。

考えてみれば、父に感謝を示したことは一度もなかった。後にも先にも、そのとき一回きりで――。

わが父、秀雄は、生来、文学好きだったが、生まれ落ちたときから実父に見捨てられ、赤貧洗うがごとき環境に置かれて、志望をとげるどころでなかった。小学校も中退させられ、細腕一本で母と大勢の弟妹の一家をささえる運命に置かれた。その見果てぬ夢を賭けようとしたのであろう、長男である私の作文指導に異常な熱意を示した。当時、綴方《つづりかた》と呼ばれた作文の宿題が出ると、自分のほうが熱中して、夜っぴて拙文を書き直すというふうだった。文章のリズムということを私はいちばん仕込まれたように思う。高校生のころ、担任の教師が父を訪ねてきて、文学では飯は喰えないから息子さんに断念させるようにと進言したところ、文学は自分の一生の夢でしたから、代わって息子にやらせるのですと云い切って、いや、おかげでよくわかったよと担任教師から後で謝られたことがあった。よくぞ父は云ってくれたと思う。

そんな父が期待したような文学者に自分が成ったとはとうてい思えなかったが、それでもこうして曲がりなりにも異国の最高学府で講筵《こうえん》を敷くところまで来られたのは、ひとえに父の一念による以外の何物でもない、一度くらいはそのことを云い表さねばと、なぜか今回にかぎって殊勝な気分になった。そこで、東京で独り老後を養っている父にこんなふうに書いたのだった。

お父さん、僕は、コレージュ・ド・フランスという名門で連続講義を行い、幸い大好評を博して「王の侍講」章を授与されました。ここまで来られたのは、小学生のころ、熱心に綴方指導をしてくださったお父さんのおかげです——。

青年期、私は、父とは不和で、一時期、家出したこともあるほどで、そうでなくてもこんなことは父子の間では気恥ずかしくて、面と向かって云えたものではなかったが、パリの雰囲気の中で、そのときにかぎって素直に筆にすることができた。

一回きりでもそう書き送っておいてよかったと、いまにして思う。それが虫の知らせだったのか、二ヶ月後に父は他界したからである。

しかし、こうした私事とは比較にならない国民的スケールの不幸が、すぐ直後に起ころうとは、知るよしもなく、ジェットエンジンの音に身をゆだねていた。

パリを出てどのくらい経ったころか、パーサーが現れて、こう云った。ファーストクラスにお移りくださいませんか、ほかにお客さまはありませんから、と。

「クリュブ」席だけでも望外というのに、これはまた異なことと思いながら前のほうに移動すると、第一列に案内された。そこはコックピットの真後ろだった。両側が狭まっていて、ジャンボジェット機の機首に位置し、尖端を切って飛んでいくような格好である。後ろを振りかえると誰もいない。パーサーがふたたび現れて、丁重に挨拶する。何か異空間に置かれたような気分だった。

アンカレッジ空港に着く。

ふつう日仏間は北回りの直行便で行き来する時代となったのに、南回りというのも珍しいことだったが、アンカレッジには私は特別の思い出があるので、むしろ喜ばしい気持で搭乗していた。というのも、もう四半世紀もまえ、三十歳で初めて羽田から渡欧したとき、私の乗ったボーイング機はここに寄港したからだ。初めて外国の土を踏んだのは、ここアラスカだった。行く先のロンドンには、松見守道が待っていた。十一年間、往きて帰らずの「出遊」となったのは、ここが始まりだった。夜のしらじら明けの、荒涼たる雪原を見晴らしながら、ここの空港で、そのとき、大きな北極熊の剝製を飾ったロビーのカウンターで食べた不格好な砂糖菓子の味を、いまでも覚えている。

そのロビーに入って、そんな記憶の断片のような雪片が舞いかける外部の曇り空をぼんやり眺めていると、「お客さま」と声がした。見ると、きちっと制服を着た最前のパーサーが、緊張した面持ちで立っている。一礼して、こういうのだった。

「たったいま、昭和天皇がお亡くなりになったという知らせを受けました」

そして恭しげにこう付け足した。

「このことは、お客さまだけにお伝えいたします。ほかのご乗客の皆様には、アンカレッジを出てから申しあげますので……」

曇り空がぐらりと揺れた。

実際に、機内放送で訃報が伝えられたのは、搭乗機が再出発してからだった。客室内はどんな反応であったろうか。

大きな大きな空虚に向かって、コンパスの北進の針を振り切るばかりに機は飛んでいく。日出づる国の、日は掻き消えたのだ。思えば自分は、生まれ落ちたときから昭和原人だった。いま、その時間は断たれたのだ。日本の根源の大光芒の啓示をパリに伝えて、帰途に就いた途上で、すめろぎの崩御に接するとは……

一路、東へと飛ぶ機内で、無重力的に思考は乱れた。

機体《カラング》を突き抜けて、透明に空が透けてみえるような小さな異空間で、超高速で飛翔する肉体なき脳に、自分は成っていた。

事実、帰国後に筑波で経験することとなる或る戦慄的不祥事と、それと無縁ならざる世界史の激変——二十一世紀への予兆的な——が到来しようとしていた。

翌月、父が他界した。

このほうは、明治、大正、昭和、平成と四代を生き抜いた、名もなき市井人として——。

第四章　交野路

亡父と桜並木を歩く

平成元年三月九日、筑波——

明けがた、夢を見た。

父と並木路を歩いていた。幼い妹も一緒にいたようだ。あたりは薄明といった感じにつつまれていた。

ふと私は、左側の木の幹の巨大さに目を止めた。二抱えも三抱えもあろうか。しかもそれは巨大であるだけではなく、よく見ると二本の幹が一つに合わさって、ぶつかり合い、融けあって、縺れたり離れたりしながら枝わかれし、全体としてただ一本の木として、信じがたいほどの広がりをつくっているのだった。そして一面の白い花々で満たされていた。満開の桜の木だったのである。

じっと見ているうちに、隠されていた一つの事実に気づいて私は叫んだ。「あっ、これは夫婦なんだ！」

しかし、夫婦であり、親子であり、兄妹でもあるのであった。見ていると、二にして一なるものであることが自らにして分かってくるのである。

つぎに視線を右にやると、右側の木々も同様に見事な桜の木で、これも恐しいばかりに太い幹を持ち、同様に二つの幹が一本に交じりあってそれぞれを形成しているのであった。「大きいんで、びっくりするね、お父さん」と私は云ったが、心のなかで《肝がつぶれるほどだ》とでも云わなければ実感は表現できないな……などと考えていた。

ともかく、目を疑うばかりの光景であった。道の両側の木々は全部、夫婦、兄妹、親子……の二人一組がそれぞれ一本に融けあって巨木となった桜の木ばかりで、そのどれもが満開の花ざかりだったのである。

この世のものとは思えない荘厳な静寂が桜並木全体を満たし、そのなかを父と並んで私は歩いていった。奇異の念に駆られて、お父さん、ここはどこですかと尋ねた。と、即座に答えは返ってきた——

「カタノ路《みち》だよ」と。

《片野路》かな、と最初、考えた。しかし、すぐに、《片《かた》》ではなく《交《かた》》という漢字が目に浮かび、なんとはなしに《交野》と書くような感じを持った。

桜並木は、そんなに長くはなかった。両側の桜はせいぜい数十本といったところで、それまで歩いてきた世界から別の世界へと突っ切る斜めの道というふうに思われた。

(並木路にはいるまえにも別の長い夢を見ていたのだが、目覚めたときにどうしても思い出せなかった)

ほどなく私たちは路のはずれに到達した。そこに一対の太い石柱が立っていた。見ると、その右手の方の、背の高さほどの柱の上に父は立っていた。まるで石像のように、もはや動かずに。すると、いつの間にか、その姿は、私の大好きな父の末弟、貞夫叔父に変わっていた。その様子を仰ぎ見ながら、こう奇妙なことを考えた。

「おかしいな、ぼくのお父さんのはずなのに……。なぜならぼくは、その子供なんだから……」

石柱の外は、町だった。そして夜だった。それまでの道のりは昼だったが。京都に見るような、古風な、低い家並みがつらなり、点々と灯が点っていた。石門から出た道は目のまえでY字形に岐れ、右手の通りは、ところどころ、土産物屋が立ち並んでいる。正面の店が軒下にずらりと筆をぶらさげているのを見て、急に私は俗気が動いた。お父さん、あそこへ行きたいけど、いいでしょ、と云った。が、父の姿はすでになく、そこで夢は、ぷっつりと止切れた……

目が覚めると、未明六時まえだった。

しばらく呆然としていた。父が亡くなったのは二月二十日だから、今日で十七日目である。《カタノ》……《交野》……と口のなかにつぶやいたが、そんな地名は聞いたことがなかった。

が、そのうちに、どうやらそれが二重三重の掛け言葉になっているらしいと気づいた。この世と、あの世の、ひょっとすると交わりの領域ということではあるまいか。斜めに突っ切る道の感覚といい、石柱の境といい、またその向こうが現世めいた街並みになっていた点といい、父と歩いたあの桜並木は、いかにも幽冥境という感じがした。

《カタノ》の《カタ＝交》は、また、二にして一なる桜の巨木のありようにもかかわっているらしく思われた。「二」なるものはない、愛は「一」である、と。

何よりも、明けての今朝は「三月九日」ということに、愕然としている。いまから四十四年前の、あの下町大空襲の記念日なのであった。あの夜、父は私を連れて逃げ、それによって一命を全うしたればこそ、今日の自分はある。「三月九日」――この日を選んで父は枕辺に立った。それは、ここに告げることは真実なんだよとの徴《しるし》なのではあるまいか。

だが、何を告げようというのだろうか。

私の問いに答えて、間髪を入れず、《交野路》と答えたのは、なぜであろうか。

いったい、交野などという所はあるのか。また、その路とは……

何もかも謎である。

ただ一つ確かなことがあった。死して十七日目に父は、ある実在らしきものを啓示しに戻ってきた。四十九日の霊界への旅、中有の旅の半ばに、わざわざ立ち戻って。もし本当に死出の旅なるものがあるとするならば、そこから身をもぎはなして一瞬なりとこの世に立ち戻り、何らかの秘密を息子に告げようとしたのかもしれない。とすればこれは、只事ではない。

だが、何の秘密というのだろう。

すべては謎である。

平成元年三月十四日（火）午前一時半、筑波――

いま、床に腹這いになって、ノートを開いたところである。背筋に冷たいものを覚えてペンを握っている。目のまえの畳の上に、開かれた『広辞苑』。そのあるページに、黄色の蛍光マーカーで記したばかりの文字が、燈下のもと、ぼうっと光っている。そこにはこう書かれている――

かたの【交野】平安時代の皇室領の遊猟地。桜の名所・淀川――の左岸、大阪府枚方《ひらかた》市（河内国交野郡）一帯の平野。（歌枕）

あゝ、何たることであろうか。

あの夢を見たのは五日まえのことだ。間違いなくあれは霊夢であろうと予感はあったが、しかし確めるすべもなく放っておいた。しかるに今宵、眠られぬままに、ふと思いついて書斎に行き、広辞苑を開いてみて愕然としたのである。もう大抵の一致現象には驚かなくなっているはずの自分だが、今夜ばかりは格別だった。辞書に記載されているのはたったこれだけだが、しかし十分ではなかろうか。

まず、夢の中で、父の云った《カタノ》を不可思議な仕方で私は《交野》と考えたが、正解であった。

しかも、「桜の名所」とある。ぞっとしたのは何よりもこの点だ。あの爛漫たる桜並木！　五十六歳の今日にいたるまで、交野などという地名は聞いたこともないのに、それが桜の名所であることまで、ぴたり当たっていた。

つぎに、「平安時代の皇室領の遊猟地」とあるが、これをもって、夢に現れた街の家並みが京都に見るような、低い、古風なものだった説明がつくのである。大宮人は京都から桜狩りに交野を訪れたとしているのであるから。

最後に、交野は大阪府にあるということだが、これは私が四歳まで大阪で育ったこととかかわりがあるのだろうか。父母は私をそこに連れていったことでもあるのだろうか。

そんな話は、しかし、ついぞ聞いたことがない。ともかく、今の今まで交野のカの字も私は聞いたことがないのである。

いったい、これはどういうことなのか。何かが、いつか解き明かされるのだろうか。私が考えているのは、やはりこれはあったのかという感情のみ。

峡崖《かいがけ》の道

平成四年三月二十七日、筑波——

ついに交野に行ってきた。

あの夢知らせをうけてから三年目に、ようやく思いを果たすことができた。そして結果はまさに驚くべきものがあった。

三月二十日、お彼岸に発って、幻の土地へと向かった。

東京を出るまえに神田の三省堂で参考書さがしをして、ただ一冊、『京阪線歴史散歩』(加来耕三著)なる本を見つけ、新幹線の車中で開き、次の一節を読んでどきりとした。

「……交野市駅と次駅河内森を中心とする辺りの丘陵と平野部一帯を古くは《交野ヶ原》と呼んだ。《寺》という集落に入ると……ここから《かいがけの古道》を上るのもよい……」

《かいがけの古道》……なんと曰くありげな名であろう。

続いて次の言葉を読んだとき、頭のなかは白い煙が立ちこめたようになった。

「……交野八景の一つといわれるこの古道は、傍示《ぼうじ》を経て五条から熊野へと続く、平安時代の熊野詣での道でもあった……」

ここまで読んで、だんだんと胸のうちに確信に変わっていくものがあった。ここに言われる《かいがけの古道》こそは、父が啓示した《交野路》ではなかろうか。

「かいがけ」が何を意味するかは分からないが。

その夜は大阪に一泊。翌日、京阪電鉄の淀橋駅から、その名も「交野線」で、一時間足らずで交野駅に着いた。しとしとと雨が降っていた。そのなかをタクシーでさっそく探索に出た。

まったく、何も知らずに出かけたものである。

そのときには、わずか一泊二日の旅で思いがけない発見があろうとは想像もできなかった。

駅の近くのタクシー会社（星田交通）で拾った車で、当てどもなく出発する。「かいがけの道」とだけ言ったが、運転手は知りませんという。どうやら、名所めぐりの観光客とでも思っているらしい。五，六分ほど走っただけで、生駒山系の麓に至る。ささやかな住吉神社にさしかかった。私は、父母の語ったところによると、大阪は南海電車の小浜駅近くの住吉神社境内わきの家で生まれたとのことである。そこで何となく幸先のいい感じがして、そこで下車して一拝した。神社の脇道をなおもしばし走りつづけると、やがてなだらかな山あいの奥まったところに、今度は元住吉とでも呼びたい古雅な一宮があった。人の住む気配もない。が、ふと、右手を見ると、なんとそこに「かいがけの道」と道標が立っているではないか。

そこが山の登り口になっていた。見えない糸に引かれるように、その小径にはいった。山に向かう急坂になっていて、一本の道標が立っていた。そこに「かいがけの古道」と書かれていたのである。

あゝ、ここが、父のさししめした「交野路」なのであろうか。

あいかわらず降りつづく雨のなか、横木を渡して段々をつくった山路の登り口を、しばし私は立ちつくして眺めていた。

革靴をはいてはいっていける山とも思えない。明日、出なおしてきたほうが良かろう。そこで、いったんその場を出て、運転手の案内で付近の見学に向かった。

一つ書き忘れていた。

「かいがけの道」の「かいがけ」とは何か、最初は分からなかった。ところが、現場で切り立った山路を見たとたん、あゝ、「かい」とは山峡の「峡」だなということがすぐ分かったのである。「がけ」は、「駆け」であろうかと考えていたが、これは「崖」であると後で知らされることとなる。狭い山峡の、ひじょうに深い谷間の、一方の崖を攀じていく路――これが「峡崖道」なのであった。

さて、今回の旅の成果は、交野の郷土史の第一人者、奥野平治氏の協力を得たことであった。親切なタクシー運転手の口からその名を聞き、あらかじめ市の青年の家でその著書『ふるさと交野を歩く』を入手して読んだ。そして、その夜泊まった野崎観音の宿から電話したところ、奥野氏は快く明日会ってくれるという。

翌朝、そのお宅に出向くと、その人は八十歳ちかい、飄々たる人物だった。いただいた名刺には「交野市文化財保護委員」とある。要するにこの地方の生き字引といった方である。甥御さんの平田氏、同じく文化財関係の大野さんという婦人が見えていて、事情を話すと、この二人が奇特にも「かいがけの道」を案内してあげましょうと申し出てくれた。

その日だけ、不思議と好天気だった。

こうして、思いもかけず私は、亡父の導きで、それまでまったくの未知であった「平安時代の古道」へと足を踏みいれることとなったのである。

春にはやや遠い、薄ら寒い日だった。

例の住吉神社（寺村にある）の脇から問題の道にはいる。神社の境内の山桜は見事なものらしいが、咲くのはまだ十日ほど先だという。道は、登りはじめてみると、それほど急坂というほどではない。歳月のままに人々が次第に手入れして登りやすくしたものであろう。

しかし、まことに尋常ならざる道ではあった。あらゆる意味で、古人と神々と精霊が息づいているような。こうしたすべては奥野氏の研究に委しいところだが、まず、古墳が多い。「かいがけの道」に入ったあたりは「寺《てら》古墳群」の真只中にあるという。道ぞいに、頭上高く樹々の茂るもと、ひっそりと地蔵尊やら伏拝《ふしょがみ》――この言葉は当地に来て初めて学んだ――が点々と居並び、まったく普通の山路とは趣きを異にしている。そのなかをずんずん進むと、だいぶ行ったところに、左手に、やや広く開けた台地があった。そこに「かいがけ地蔵」が祀られている。かたわらには「三界萬霊の碑」と刻まれているのであった。

かつては村人がここで里神楽などを行ったのでしょう、と案内の青年（平田さん）が語ってくれる。しかし、奥野氏の小冊子——数冊の——を読んだ私は、かつては村人が「間引き」をした赤子をこのあたりに捨てたことを知っていた。その魂鎮めとして神楽を行ったということもあろうか。「三界万霊の碑」とは只事ではない。村人はこの谷道を、「乳母谷《ちちごだに》」「溺谷《いばりだに》」「地獄谷」などのおどろおどろしい名で呼んでいるらしい。これほどのおびただしいお地蔵さまや伏拝は、実にこの道が生者のためだけの道ならずということを表わしていると、そくそくと身にしみて私は感じていったのだった。

さらに興沫ぶかいのは、「この碑を守るかのように」一本の山桃の木が空中にふかぶかと枝葉を広げていることであった。ふつうなら見すごしてしまうであろう。これも奥野さんの案内書のおかげで、私は、それが霊界との接点に位置するということを教えられていた。

「当地ではどこにでもある木ではない」と氏は書いているのだ。そしていみじくも、イザナミノミコトの黄泉の国入り神話を回顧している。浅ましい姿に変わりはてたその妻イザナミを逃がれて現世に戻る途中、追いすがる鬼どもに、ちぎっては投げ、ちぎっては投げした桃の実の伝説を思わせるというのである。「ひじょうに興味ぶかいご推理です」と応ずる私に、書斎で炬燵に足を入れたままの姿勢で、この好々爺はいうのだった。「きっと熊野詣でに行った人が、この地方にはない桃の実を取って、その種をここに植えたのが育ったものでしょうよ……。和歌山の地方には挑はたくさん生えていますによってな……」

＊奥野平治著『ふるさと交野を歩く——山の巻』七十三頁。交野市他編。昭和五十六年初版。

たしかに、この道を黄泉平坂《よもつひらさか》と見立てたればこその種まきであったのかもしれない。

不思議はまだほかにもいろいろとあった。

「かいがけの道」は、三十分ほどで、「傍示《ぼうじ》」という名の里に出る。不思議の第一は、この暗い深い谷の道を出はずれたところに八葉蓮華寺があり、この山寺には珍しい立派な阿弥陀仏が存することであった。近年、そこに発見されたばかりという。同行した文化財保護の女性のおかげで見せていただいた。身の丈八十センチあまり、燦然たる背光をしょって、まだらに金箔を散りばめ、やや左足を踏みだした姿を呈している。衆生来迎の意志を表したものか。実に神々しいものであった。それもそのはず、十二世紀、快慶の作で、重文に指定されたのも尤もとうなずける。

重要なことは、いかにも、「こんな立派な阿弥陀さまが、大和と河内の国境の傍示に健在でいて下さった」ことである。黄泉の路ともいえる「かいがけの道」を出はずれたところにそれはたたずみ、待っていてくださる。彼岸へ導こうとしてくださる。地獄下り、あるいは煉獄のあとの天界上昇といえようか。

「かいがけの道」は八葉蓮華寺の手前――「傍示」つまり境界――で切れる。だが、その先もさらに山をこえて「大仏の道」*へと続いていっている。

*「昔、宇佐の鋳造工の人たちが大仏建立の時この道を急いだという」同書。

「交野」の「交」とは、すでにして夢が私に教えてくれたところによれば、この世とあの世の交りを暗示するものであった。「かいがけの道」を歩いて私が実感したものは、まさにそれであった。父が啓示した「交野路」がこの道だという証拠はない。しかし、ここ以上にこの交りを感じさせる道を探すのも難しいのではなかろうか。

夢のなかで、それは、ある空間を斜めに突っ切る一定区間の桜並木として呈されていた。「かいがけの道」も、交野市の寺村の住吉神社わきから始まって傍示の八葉蓮華寺で終わる三十分ほどの行程の道である。そして、夢で、道は門柱をもって終わり、そこが彼岸の境界だったためか、父はその門柱に立って消えたのであったが、「かいがけの道」も、その名も境界を意味する「傍示」をもって終わっているのである。

しかし、それよりも何よりも、現地を訪ねたればこそ分かった最も感動的な事実は、

「かいがけの道」が古来、河内（交野）から大和へと抜ける要路であり、ここから奈良、熊野、伊勢へと人々は旅立ったということである。往古、「蟻の熊野詣で」の人波は、先ほどの山桃の木に象徴されるように、谷の崖道を細く長く連なって生駒山系へと抜けていったのであろう。そして、熊野へ出れば、那智の滝を仰ぎ、はるかに熊野灘を見ながら、上人たちの補陀落《ふだらく》渡海を思って、かなたに輝く水平線のはてに西方浄土を望み見て、両手を合わせたことかしれない。この薄暗い、深い谷道は、はるかなる海のかなたの見えない彼岸へと向かう、どうしても通らねばならない隧道だったのだ。

そして、生ける巡礼の人波の流れと重なって、死せる諸人《もろびと》の霊流があった。生は、まことに、死のリハーサルとも見えたことであろう。「往生」の一語が意味を持っていた時代にあっては。もはや、巡礼の人波は絶え、霊流のみ流れつづける。日本に幾つか流れる、祖霊の川の、ここは一つだったのか。父も、そこに加わった。そして、それがあると、告げたのではあるまいか。

二つの流れの重なり、交わり――それが《交野》、《交野路》だった。日本では、古来、《野《ぬ》》は、霊のさまよいの場として知られる。交野は、つとに、彼岸と此岸の両世界の交わりの《野》として知られていたに相違ない。古くは、ここらあたり一帯はラグーナ（潟）であった。一万三千年前の縄文人の時代から、《潟》が《交》となっていったかげに、どんな多くの霊異があったことだろうか。

ここの土地柄は、しかし、霊界との交感を思わせるだけではない。

奥野氏が説明してくださったことによると、昔、淀川くだりをしてきた人々が左手にこの山麓の起伏を見て、それを《肩》、《片》と感じたことから付けた名ということだが、宇宙的交感力の強かった古人が、まさにこの土地に、他では感知しえないような強力なコレスポンダンス（交感）を感じて《交《かた》》と名づけたということはなかったであろうか。

それかあらぬか、この土地のもう一つの不思議は、宇宙的な名をつけた地名が多いという事実である。「星の森」がある。「天田《あまだ》」がある。流れている川は「天野川」である……。

また、巨巌の奇勝で知られる、この天野川上流は、（天《あま》の）「磐船峡《いわふね》」なのだ。

古く平安時代の昔、大宮人が交野ヶ原に遊んだころ、この世ならぬあまりの潟と野の美しさに心を奪われ、夜ともなれば、満天の降る星を映す一枚の大きな鏡のようにそれを見立てたのかもしれない。


平成十二年三月二日御殿場市、印野——

あのこ事が起きてから十一年が過ぎた。

ふたたび「三月九日」が巡ってこようとしている。その間、交野のことは常に私の心のどこかに引っかかっていた。しかし、いままで日記に記したままであったものを、初めてこうして書き出す気になったのは、なぜであろう。

歳月の力というべきか。たそがれていく人生の時間のなかで、星々は神秘の光を滅するどころか、ますます強めていく……

交野路のことは、物に書きこそしなかったが、機会あるごとに知友に語ってきた。交野を訪ねた二年後、平成六年には、自分の詩集の出版記念会で、謝辞を述べるさいに、思わずそれに触れたこともあった。そのときである、私が話をしおえると、場内から一人の女性が近寄ってきて、こういったのは――

「ご存知ないんですか、『太平記』の始めに《落花の雪に踏み迷ふ、かたのの春の桜狩り……》とありますのよ」と。

我が人生の軌道を変えた、かの亡き「大」大使、萩原徹氏の智恵子夫人だった。

ともあれ、私はそのことを知らなかった。恥ずかしかった。だが、そんな故事さえ知らないということで、かえって、あの夢はやはり異界から送られてきたものかと、推測を深めたのである。

人生はおそらく、われわれの考えているようなものとはぜんぜん異る実相のもとにある――と、歳月とともにだんだんと私は信ずるようになった。ということは、死もまたわれわれが考えているようなものではあるまいということを含めて、である。科学的証明ということはありえない。あくまでも個人的なレベルのことなのだから。証明されず、啓示される。交野路は私にとってまさにそのようなものだった。

近づく三月九日。

地上百メートルほどの上空を、重い箪笥や畳が炎を噴きながら轟然と流れる炎の天の川となっていた。その真下に仁王立ちになって、「日本は負けるんじゃないかなあ」とつぶやいた父の姿を、いつまでも私は忘れないであろう。清澄庭園の、池のなかの小島。家族のなかで、あの体験を共有したのは、父と私だけだった。俺は忘れないよと云うために、黄泉路から、あの日を選んで、いのちの真の姿かくありと息子に告げようと立ち戻ったのであろうか……

＊

「峡崖道」が熊野に向かう「奥駈道」に通じていると分かったのは、私にとって、それから十五年も経ったのち（二〇一四年）のことであった。『大和の原像』の著者で奈良飛鳥園の主人、小川光三氏を訪ねて「峡崖道」のことを語ったところ、この博識の考古学者でさえもそのことを知らなかった。「お父上の夢に導かれて発見されたとは驚異です」と後にお便りをいただいた。

もう一つ追記。夢で「交野路」のはずれの石柱の上に、最初、父が立ち、つぎにその姿が父の末弟で私の大好きだった叔父に変わったと書いたが、実際に父の死からまもなくこの叔父は他界するに至った。まだそれほどの歳でもなく、しかも、もう一人の歳上の叔父に先立って。

このことを予告していたのかもしれない。

（第五巻　交野路おわり）

竹本忠雄

『未知よりの薔薇』全巻リスト

第一巻　由来《ゆらい》篇
第二巻　出遊《しゅつゆう》篇
第三巻　流浪《るろう》篇
第四巻　筑波《つくば》篇
第五巻　交野路《かたのみち》
第六巻　秘声《ひせい》篇
第七巻　影向《ようごう》篇
第八巻　寂光《じゃっこう》篇

竹本忠雄（TAKEMOTO Tadao 1932～）

日仏両国語での文芸評論家。筑波大学名誉教授、コレージュ・ド・フランス元招聘教授。
東西文明間の深層の対話を基軸に、多年、アンドレ・マルローの研究者・側近として『ゴヤ論』『反回想録』などの翻訳、『マルローとの対話』などを出版、かたわら、日本文化防衛戦を提唱して欧米での反「反日」活動に従事（日英バイリンガル『再審「南京大虐殺」』等）、その途上で皇后陛下美智子さまの高雅なる御歌に開眼し、仏訳御撰歌集をパリで刊行、大いなる感動を喚起して、対立をこえた大和心の発露の使命を再確認する。
令和元年11月、仏文著書『宮本武蔵　超越のもののふ』（日本語版、勉誠出版）を機に、87歳でパリに招かれて記念講演を行い、新型コロナウィルス流行直前に帰国して、構想50余年、執筆8年で完成した『未知よりの薔薇』の米寿記念刊行に臨む。

未知《みち》よりの薔薇《ばら》　第五巻　交野路《かたのみち》

著者　竹本忠雄
発行者　吉田祐輔
発行所　㈱勉誠社
〒101-0061　東京都千代田区神田三崎町二－一八－四
電話　〇三－五二一五－九〇二一㈹

二〇二一年七月二十四日　初版発行
二〇二四年十一月八日　初版三刷発行

印刷製本　株式会社コーヤマ

ISBN978-4-585-39505-8　C0095

平成の大御代　両陛下永遠の二重唱

絶讃を博した講演録を柱に、皇后陛下美智子さまへの手紙、エッセイ、渡部昇一氏との対談の三篇を収録。独創的年表を付録として一本に収める。

竹本忠雄 著・本体一八〇〇円（＋税）

霊性と東西文明
日本とフランス「ルーツとルーツ」対話

《ヨーロッパとアジアの対話はルーツとルーツの対話である》とのマルロー提言に基づき、日仏霊性文化の根源から、超広角的に謎の解明に迫る。

竹本忠雄 監修・本体七五〇〇円（＋税）

大和心の鏡像
日本と西洋　二つの空が溶け合うとき

アインシュタイン、小泉八雲、マルロー…。知の巨匠たちは、いかに魂の次元で日本文明に傾斜し、霊性時代の再来を予感したか。著者渾身の畢生作。

竹本忠雄 著・本体三六〇〇円（＋税）

宮本武蔵　超越のもののふ
武士道と騎士道の対話へ

武蔵の代表的名画を中心に豊富なカラー図版を散りばめ、世界的視野から「ルネサンス的巨匠」武蔵像を浮かび上がらせる。

竹本忠雄 著・本体三五〇〇円（＋税）

三島由紀夫の国体思想と魂魄

「歴史と伝統の国、日本である」と国民の覚醒と自尊自立を訴えた三島由紀夫。「伝統と革新の均衡」を思想基盤とした、国家論と国体思想を、客観的かつ精密に究明。

藤野博 著・本体四二〇〇円（+税）

三島由紀夫と神格天皇

巨大な問題提起者・思想的刺激者である三島由紀夫の天皇観を緻密に分析し、「死の真相」を解き明かす。「倫理の不滅性」を訴えた素顔の三島由紀夫がいま蘇る。

藤野博 著・本体三五〇〇円（+税）

三島由紀夫と日本国憲法

憲法に関する三島の発言を丹念に追い、その憲法改正論の内容を解説。日本国憲法の成り立ちと性格を客観的に究明し、第九条を広角的視点から再点検する。

藤野博 著・本体三〇〇〇円（+税）

青空の下で読むニーチェ

西部邁は『アクティブ・ニヒリズム』を主唱した。三島由紀夫ほどニーチェを読みこなした作家はいない。人生を強く生きよと主張したニーチェの思想を読み直す。

宮崎正弘 著・本体九〇〇円（+税）

三島由紀夫の切腹
よみがえる葉隠精神

「武士道と云ふは、死ぬ事と見付けたり」。三島はこの葉隠精神の実践に己れの全存在を賭けて突出した。武士道美学の殉教者たらんとした三島の精神性に迫る。

北影雄幸 著・本体三〇〇〇円（＋税）

三島由紀夫と能楽
『近代能楽集』、または堕地獄者のパラダイス

現代にこそ鮮烈によみがえる三島由紀夫。「生きづらさ」を生きぬくポスト・セカイ系世代の新鋭による初の三島＝能楽論。

田村景子 著・本体二八〇〇円（＋税）

三島由紀夫 人と文学

創作ノートや遺品資料を駆使して、伝記的事項を確定。知人の証言や新聞・週刊誌の記事により多角的に実証する。多領域にわたり活動した不逞偉才の《三島》に迫る。

佐藤秀明 著・本体二〇〇〇円（＋税）

戦後派作家たちの病跡

精神分析学、現象学、存在論、脳科学といった思考法により補助線を引くことで、作品という運動体の軌跡が浮き彫りになる。

庄田秀志 著・本体三八〇〇円（＋税）